Carpe diem

Anthologie présentée par
Elsa Marpeau

Carpe diem

L'art du bonheur selon les poètes de la Renaissance

Sommaire

Introduction

« Cueille le jour »...

Tel est le sens de *carpe diem*, dont une traduction plus courante serait : « Profite du jour présent ». Métaphore, la phrase assimile implicitement le jour à une fleur, devant être cueillie dans l'instant fragile où elle est éclose. L'image rappelle donc que la vie, comme la rose, fane si rapidement qu'il faut en jouir quand il en est temps.

Le premier à avoir exprimé ainsi qu'il faut profiter de chaque instant est le poète Horace (65-8 avant J.-C.). Dans ses *Odes*, il écrit en effet :

Dum loquimur, fugerit invida
Aetas : carpe diem, quam minimum credula postero.

(*Odes*, I, XI, vers 7-8)

Cela signifie : « Tandis que nous parlons, notre saison (d'où, notre vie), ennemie, aura fui : cueille le jour, sans faire confiance au lendemain. » Horace en appelle à jouir de l'existence, sans dédaigner les transports amoureux :

« Ne cherche pas à t'interroger sur ce que sera demain, et quel que soit le jour que le sort t'octroiera, tires-en les fruits et ne méprise pas les douces amours, enfant, ni les danses,

tant que ton âge verdoyant ignore la vieillesse blême[1]. »

---

1. « *Quid sit futurum cras, fuge quaerere, et / quem fors dierum cumque dabit, lucro / adpone nec dulcis amores/sperne, puer, neque tu choreas, / donec virent canities abest / morosa.* » (Horace, *Odes et Épodes*, Livre I, IX, 13-18 [trad. E. Marpeau]).

Avant que son sens ne s'affadisse pour devenir un lieu commun, le *carpe diem* répondait au désir des philosophes épicuriens de vivre dans le présent. Selon eux, il est la seule certitude, puisque hier n'existe plus et demain pas encore. Mais la formule a alors un sens qu'elle a perdu aujourd'hui. Tentons d'en restituer l'origine et les multiples emplois qu'elle a acquis au fil du temps.

Épicure (342 ?-270 avant J.-C.), philosophe grec, fonde une école de pensée pour laquelle le bonheur constitue le Bien suprême. Cette finalité a été, de l'Antiquité jusqu'à nos jours, diversement comprise et parfois mal interprétée. Pour certains, Épicure prône une vie de débauches, où l'on cherche à tout prix le plaisir des sens. Parce qu'Épicure acceptait que les femmes viennent suivre son enseignement, des mauvaises langues répandent le bruit que son école abrite des ébats illicites. Le maître et ses disciples y gagneront le surnom de « pourceaux d'Épicure ». Aujourd'hui, l'épicurisme jouit d'une bonne presse, mais n'est pas mieux compris. Quand on dit de quelqu'un que c'est un « épicurien », on entend qu'il aime les plaisirs de la chair et de la bonne chère. Mais qu'en est-il réellement de cette école de pensée qui prône la quête du bonheur ?

Loin de défendre la débauche, Épicure prône une morale stricte. Et si on ne le comprend pas, ou plus, de nos jours, c'est parce que le mot « bonheur » a changé de sens. Pour le philosophe antique, il se confond avec l'ataraxie*, c'est-à-dire l'absence de troubles. Vivre heureux exige d'éviter la douleur du corps et l'inquiétude de l'esprit. Cette forme de sagesse se fonde sur une doctrine matérialiste. S'appuyant sur l'atomisme* de Démocrite (460-370 avant J.-C.) Épicure considère que le monde est constitué entièrement de matière et de vide. La matière se compose d'atomes infinis et toujours en mouvement. Selon Épicure, ils se déplacent de haut en bas, mus par leur poids, mais leur trajectoire est légèrement inclinée. Du fait de cette inclination, nommée *clinamen**, les atomes se rencontrent et forment des agrégats, qui eux-mêmes forment des corps. De plus, comme le nombre d'atomes est infini et qu'il se déploie dans le vide, également infini, selon une durée infinie, il faut imaginer une pluralité de mondes, en plus du nôtre. Épicure refuse donc une vision ethnocentrique, où notre univers serait le centre de la Création. Les dieux ne l'ont pas conçu et ne le contrôlent pas. Il n'y a donc rien à craindre d'eux. D'autant que, selon le philosophe, ils ne s'intéressent pas aux hommes.

À cette idée, s'en ajoutent trois autres, qui forment le socle de l'éthique épicurienne. La première : on ne doit pas craindre la mort. Pourquoi ? Parce qu'elle est absence, néant. On ne saurait donc avoir peur d'une chose qui n'existe que quand nous n'existons plus. La seconde : la douleur est supportable, car limitée dans le temps. La troisième : le bonheur est accessible, pourvu que l'on distingue la jouissance désordonnée de l'ataraxie. Mais cela suppose, contrairement à ce qu'on a pensé plus tard, de maîtriser ses passions afin de ne rechercher que la paix que l'homme peut atteindre. Ainsi, la quête du pouvoir ou de l'argent est néfaste car elle est illimitée. En tant que telle, elle ne peut engendrer qu'une perpétuelle insatisfaction. Il faut donc consommer le bonheur avec modération...

La postérité n'a pourtant retenu de cette philosophie que la quête du bonheur, souvent déformée en soif de plaisirs. Le *carpe diem* reflète fort bien cette incompréhension. Au départ, il s'agit bien d'épicurisme. Cueillir le jour, c'est refuser de vivre dans une nostalgie stérile ou dans une attente vaine du futur ; c'est accepter le présent, seule réalité certaine. Mais dès le XVIe siècle, les poètes se saisissent du thème pour l'intégrer dans le discours amoureux.

Le *carpe diem* s'épanouit particulièrement à la Renaissance, période durant laquelle certains auteurs affirment leur volonté de créer un monde nouveau. Un monde où, comme y invite François Rabelais, on peut rire, où l'on peut boire et festoyer. Le jeu constitue ainsi une dimension primordiale de l'exhortation à jouir de l'instant. Et le rire, considéré longtemps comme diabolique, devient salvateur. Ceux qui le haïssent, les « agelastes » comme les nomme Rabelais, sont de dangereux fanatiques refusant la vie. Montaigne cherche également à réintroduire le plaisir dans la vie et dans la pensée. Pour le penseur, la philosophie épicurienne constitue une ascèse méritoire, visant à rechercher la paix intérieure. Elle peut aller de pair avec une morale rigoureuse, comme en témoigne l'utopie de Thélème dépeinte par Rabelais :

« *Toute leur vie [la vie des habitants de Thélème] était régie non par des lois, des statuts ou des règles, mais selon leur volonté et leur libre arbitre. Ils sortaient du lit quand bon leur semblait, buvaient, mangeaient, travaillaient, dormaient quand le désir leur en venait. Nul ne les éveillait, nul ne les obligeait à boire ni à manger, ni à faire quoi que ce soit. Ainsi en avait décidé Gargantua. Et toute leur règle tenait en cette clause*

FAIS CE QUE VOUDRAS.

Parce que les gens libres, bien nés, bien éduqués, vivant en bonne société, ont naturellement un instinct, un aiguillon qu'ils appellent honneur et qui les pousse toujours à agir vertueusement et les éloigne du vice. Quand une vile et contraignante sujétion les abaisse et les asservit, pour déposer et briser le joug de servitude ils détournent ce noble sentiment qui les inclinait librement vers la vertu, car c'est toujours ce qui est défendu que nous entreprenons, et c'est ce qu'on nous refuse que nous convoitons.

Grâce à cette liberté, ils rivalisèrent d'efforts pour faire, tous, ce qu'ils voyaient plaire à un seul. Si l'un ou l'une d'entre eux disait : "buvons", tous buvaient ; si on disait : "jouons", tous jouaient ; si on disait : "allons nous ébattre aux champs", tous y allaient.[...]

Pour ces raisons, quand le temps était venu que l'un des Thélémites voulût sortir de l'abbaye, soit à la demande de ses parents, soit pour d'autres motifs, il emmenait avec lui une des dames, celle qui l'avait choisi pour chevalier servant, et ils étaient mariés ensemble. Et s'ils avaient bien vécu à Thélème en affectueuse amitié, ils cultivaient encore mieux cette vertu dans le mariage ; leur amour mutuel était aussi fort à la fin de leurs jours qu'aux premiers temps de leurs noces[1]. »

Et si l'idéal de chasteté continue à s'exercer dans les relations amoureuses, il est contrebalancé par des exhortations fort explicites à « jouir de la vie », et donc de son corps. Au Moyen Âge, le phénomène religieux avait pourtant fortement contraint la jouissance des sens. Le bonheur y devait être recherché dans l'au-delà, non point ici-bas. La faute d'Ève lie irrémédiablement le péché et la chair. Jouir de son corps est donc proscrit par la morale catholique. Mais le XVIe siècle constitue une « renaissance » qui est également celle des sens. Le *carpe diem* y gagne des accents à la fois charnels et ludiques*. Car les poètes de la Renaissance vont s'emparer de l'idée et l'intégrer à leur argumentation pour fléchir la rigueur de leur maîtresse*. Le thème horatien devient donc un jeu rhétorique*. Il ne faut surtout pas gommer cette dimension ludique*, si l'on veut comprendre comment les poètes utilisent le *carpe diem*. Car il y a beaucoup d'irrévérence dans les vers de leurs recueils. Et il convient d'entendre le rire, derrière la fausse complainte. Car que disent-ils, ces auteurs vénérables ?

Au départ, il y a l'idée de la mort, du vieillissement. « Tout passe », telle pourrait être le fondement du *carpe diem* à la Renaissance. Mais, depuis Épicure, la mort ne signifie plus la même chose. L'avènement du catholicisme en a transformé le sens. Il n'est plus question de penser que la mort n'existe que lorsque nous n'existons plus et qu'il n'y a pas lieu de la craindre. Bien au contraire, selon la morale catholique, notre vie terrestre n'est qu'un prélude à la vie céleste. Rapide, fugitive, elle ne « dure qu'un jour ». Il convient donc de profiter de ce bref passage terrestre.

Les poètes se saisissent de l'argument pour menacer leur maîtresse. La vie est brève, lui rappellent-ils, de même que leur beauté. À ce titre, ils invitent la femme

1. *Gargantua* (1534), extrait du chapitre 57. Français modernisé des *Œuvres complètes*, éd. établie par Guy Demerson, Seuil, 1973.

à profiter de sa jeunesse... en s'offrant à eux ! Il y a, dans cette requête impertinente, autant d'humour que d'audace. Sans doute y a-t-il aussi du défoulement. Car nombre de leurs poèmes déplorent la cruauté de la femme. Ils s'inspirent souvent de la philosophie néo-platonicienne*, qui considère que le degré d'amour le plus élevé est celui qui unit les âmes des amants, non point leurs corps. Contre ce courant du néo-platonisme, le *carpe diem* affirme le plaisir de l'union charnelle. La rose, qui se fane rapidement, constitue la métaphore par excellence de ces poèmes. Elle désigne la vie comme la beauté féminine. Il ne s'agit donc plus de suivre le sage épicurien, qui n'aspire qu'à ce qu'il peut obtenir, mais d'appeler sa « dame » à plus de clémence. Dans le discours amoureux, l'appel change de signification et devient une incitation explicite au plaisir charnel.

Pour certains clercs, la fugacité de l'existence est une raison de la mépriser ; pour certains poètes, une raison de s'abandonner au plaisir immédiat. Les poètes rappellent donc à la femme aimée la fugacité de la vie et de sa beauté. Mais ils y ajoutent un nouvel affront : à cette brièveté des choses humaines s'oppose l'éternité de leur génie. Car le thème de la fuite du temps leur permet de valoriser le travail poétique qui, lui, est éternel. Un siècle plus tard, Pierre Corneille rappelle ainsi à une jeune actrice :

Chez cette race nouvelle
Où j'aurai quelque crédit,
Vous ne passerez pour belle
Qu'autant que je l'aurai dit.

Pensez-y, belle Marquise,
Quoiqu'un grison fasse effroi,*
Il vaut bien qu'on le courtise
Quand il est fait comme moi.

La « race nouvelle », c'est la postérité, celle qui lira les vers du poète. Cruellement, Corneille rappelle à la jeune femme qu'elle ne sera plus que cendres, quand lui-même, grâce à l'écriture, restera toujours jeune. La beauté passera rapidement ; quand elle sera fanée, elle ne subsistera plus que dans les vers du poète. Le thème du *carpe diem* est donc très lié à une réflexion sur l'art : au jour, que l'on doit cueillir en raison de sa fugacité, répond l'éternité de la parole créatrice.

Aujourd'hui, le *carpe diem* est à la mode. Il est fortement revenu en grâce à la suite du *Cercle des poètes disparus* (1990) de Peter Weir. Un jeune garçon timide est envoyé dans une pension aussi prestigieuse que sévère. Son professeur de lettres, Monsieur R. Keating (joué par Robin Williams), va bouleverser sa vie et celle de ses camarades. Il leur enseigne en effet ce que signifie *carpe diem*. Dans le film, l'invitation d'Horace est traduite par « Profite du jour présent ». C'est en ce sens qu'on l'entend généralement aujourd'hui : un hédonisme*, une incitation joyeuse à aimer la vie.

Elsa MARPEAU

Les termes suivis d'un astérisque (*) renvoient au lexique en fin d'ouvrage.

I

XVIe siècle :
les joies fugaces de la vie

Les poètes de la Pléiade

Sept sœurs se promenaient en compagnie de leur mère. Le chasseur Orion en tomba amoureux et, cinq années durant, les poursuivit à travers le monde. Pris de pitié pour elle, Zeus les transforma en colombes, puis en étoiles. La constellation qu'elles forment se nomme la Pléiade.

Ce récit de la mythologie grecque a donné son nom à sept poètes du XVIe siècle : Joachim du Bellay (1522-1560), Pontus de Tyard (1521-1605), Rémy Belleau (1528-1577), Pierre de Ronsard (1524-1585), Jean-Antoine de Baïf (1532-1589), Étienne Jodelle (1532-1573) et Jean Dorat (1508-1588). Les poètes formant la Pléiade sont unis par une volonté commune : créer une poésie en langue française qui soit aussi brillante que la poésie de langue latine, qui est la référence jusque-là, et imiter les auteurs de l'Antiquité pour renouveler les formes poétiques françaises. L'alexandrin et le sonnet deviennent sous leur influence des formes poétiques majeures.

Pierre de Ronsard, surnommé le « Prince des poètes », est le chef de file de ce mouvement littéraire. Mais la Pléiade trouve son origine dans la rencontre de Ronsard avec Peletier du Mans et Du Bellay. Bientôt rejoints par Jean-Antoine de Baïf, ils suivent l'enseignement de l'helléniste Jean Dorat. Ce dernier les initie à la poésie grecque et latine. Étienne Jodelle, Rémy Belleau et Jean de la Péruse gagnent le mouvement plus tard.

Ils constituent « la Brigade », qui change de nom en 1556 pour adopter celui de « Pléiade ». Elle est d'abord constituée de Ronsard, Du Bellay, Antoine de Baïf, Étienne Jodelle, La Péruse, Guillaume des Autels et Pontus de Tyard.

En 1549, Du Bellay publie un texte qui sert de « programme » au groupe : la *Défense et illustration de la langue française*. Comme son titre l'indique, il défend l'usage de la langue française, contre la langue latine alors en vigueur. Il s'agit de créer, à partir de l'imitation des Anciens, une poésie véritablement nationale.

Mais l'amour reste la grande affaire de la Pléiade. Deux tonalités traversent les poèmes. Les uns, les plus nombreux, peignent les beautés de la dame et sa cruauté. La femme y est traitée en déesse inflexible, à laquelle l'homme se soumet corps et âme. Les autres sont traversés par une veine beaucoup moins solennelle. Loin d'ériger leur maîtresse en déesse, il l'incite à profiter de l'existence avant d'être vieille. L'invitation aux fêtes charnelles s'y fait souvent célébration de la puissance poétique. La vie est fugitive, mais l'art est éternel. En attendant, *carpe diem*...

Pierre de Ronsard

(1524-1585)

Surnommé « le Prince des Poètes », Ronsard est le chef de file de la Pléiade. Même si l'on retient souvent de lui ses vers élevés dédiés à Cassandre, il a aussi chanté des joies plus simples et plus terrestres. Il y invite sa dame à « profiter du jour présent » avant que sa beauté ne se fane. Mais ce rappel des affronts infligés par le temps constitue également une louange détournée de la poésie. Tout passe, sauf le génie du poète...

ODE À CASSANDRE

Mignonne, allons voir si la rose
Qui ce matin avait déclose*
Sa robe de pourpre au soleil,
A point perdu, cette vêprée*,
Les plis de sa robe pourprée
Et son teint au vôtre pareil.
Las* ! voyez comme en peu d'espace,
Mignonne, elle a dessus la place,
Las, las* ! ses beautés laissé choir ;
O vraiment marâtre Nature,
Puisqu'une telle fleur ne dure
Que du matin jusques au soir !
Donc, si vous me croyez, mignonne,
Tandis que votre âge fleuronne*
En sa plus verte nouveauté,
Cueillez, cueillez votre jeunesse :
Comme à cette fleur, la vieillesse
Fera ternir votre beauté.

Les Amours (1553)

Quand vous serez bien vieille, au soir, à la chandelle,
Assise auprès du feu, dévidant et filant,
Direz, chantant mes vers, en vous émerveillant :
« Ronsard me célébrait du temps que j'étais belle ! »

Lors, vous n'aurez servante oyant* telle nouvelle,
Déjà sous le labeur à demi sommeillant,
Qui au bruit de Ronsard ne s'aille réveillant,
Bénissant votre nom de louange immortelle.

Je serai sous la terre, et, fantôme sans os,
Par les ombres myrteux* je prendrai mon repos :
Vous serez au foyer une vieille accroupie,

Regrettant mon amour et votre fier dédain.
Vivez, si m'en croyez, n'attendez à demain :
Cueillez dès aujourd'hui les roses de la vie.

Le Second Livre des Sonnets pour Hélène (1578)

Comme une belle fleur assise entre les fleurs,
Mainte herbe vous cueillez en la saison plus tendre,
Pour me les envoyer et pour soigneuse apprendre
Leurs noms et qualités, espèces et valeurs.
Était-ce point afin de guérir mes douleurs
Ou de faire ma plaie amoureuse reprendre ?
Ou bien s'il vous plaisait par charmes entreprendre
D'ensorceler mon mal, mes flammes et mes pleurs ?
Certes je crois que non : nulle herbe n'est maîtresse
Contre le coup d'Amour envieilli par le temps.
C'était pour m'enseigner qu'il faut, dès la jeunesse,
Comme d'un usufruit* prendre son passe-temps,
Que pas à pas nous suit l'importune vieillesse
Et qu'Amour et les fleurs ne durent qu'un Printemps.

Le Premier Livre des Sonnets pour Hélène
(1578), XXXV

Je voudrais bien, richement jaunissant,
En pluie d'or[1] goutte à goutte descendre
Dans le giron* de ma belle Cassandre,
Lorsqu'en ses yeux le somme va glissant ;
Puis je voudrais en taureau blanchissant[2]
Me transformer pour finement la prendre,
Quand en avril par l'herbe la plus tendre
Elle va, fleur, mille fleurs ravissant.
Ha ! je voudrais pour alléger ma peine,
Être un Narcisse[3], et elle une fontaine,
Pour m'y plonger une nuit à séjour ;
Et si voudrais que cette nuit encore
Fût éternelle, et que jamais l'Aurore
D'un feu nouveau ne rallumât le jour.

Les Amours (1552), XX

1. Il s'agit d'une référence mythologique. Zeus, pour séduire Danaé qui se refuse à ses avances, se transforme en pluie d'or afin d'abuser d'elle à son insu.
2. Nouvelle référence à Zeus qui, pour séduire Europe, se métamorphose en magnifique taureau blanc. La jeune femme grimpe sur son dos et il l'emporte alors loin des siens.
3. Dans la mythologie grecque, le jeune Narcisse était si amoureux de lui-même qu'à force de se contempler dans l'eau, il s'est noyé.

Prends cette rose aimable comme toi
Qui sers de rose aux roses les plus belles,
Qui sers de fleur aux fleurs les plus nouvelles,
Qui sers de Muse aux Muses et à moi.
Prends cette rose, et ensemble reçois
Dedans ton sein mon cœur qui n'a point d'ailes ;
Il vit, blessé de cent plaies cruelles,
Opiniâtre à garder trop sa foi.
La rose et moi différons d'une chose :
Un soleil voit naître et mourir la rose,
Mille soleils ont vu naître m'amour,
Qui ne se passe et jamais ne repose.
Que plût à Dieu que mon amour éclose
Comme une fleur ne m'eût duré qu'un jour !

Pièces du Septième Livre des Poèmes (1569), XIII

Marie, qui voudrait votre nom retourner,
Il trouverait aimer : aimez-moi donc Marie,
Votre nom de nature à l'amour vous convie.
Pécher contre son nom ne se doit pardonner.
S'il vous plaît votre cœur pour gage me donner,
Je vous offre le mien ; ainsi de cette vie
Nous prendrons les plaisirs, et jamais autre envie
Ne me pourra l'esprit d'une autre emprisonner.
Il faut aimer, maîtresse, au monde quelque chose ;
Celui qui n'aime point malheureux se propose
Une vie d'un Scythe, et ses jours veut passer
Sans goûter la douceur des douceurs la meilleure ;
Hé ! qu'est-il rien de doux sans Vénus ? las, à l'heure
Que je n'aimerai plus, puissé-je trépasser !

Continuation des Amours (1555), VII

Cache pour cette nuit ta corne, bonne Lune !
Ainsi Endymion[1] soit toujours ton ami,
Ainsi soit-il toujours en ton sein endormi,
Ainsi nul enchanteur jamais ne t'importune.
Le jour m'est odieux, la nuit m'est opportune ;
Je crains du jour l'aguet* d'un voisin ennemi ;
De nuit, plus courageux, je traverse parmi
Le camp des espions, remparé de la brune*.
Tu sais, Lune, que peut l'amoureuse poison :
Le Dieu Pan[2], pour le prix d'une blanche toison,
Put bien fléchir ton cœur. Et vous, Astres insignes,
Favorisez au feu qui me tient allumé :
Car, s'il vous en souvient, la plupart de vous, Signes,
N'a place dans le ciel que pour avoir aimé.

Pièces du bocage (1554), X

---

1. D'après la mythologie grecque, Endymion était un jeune homme si beau que la Lune exigea de Zeus qu'il le fasse dormir ainsi pour l'éternité.
2. D'après la mythologie grecque, Pan, amoureux de la Lune, l'attire dans les bois en lui promettant une toison de laine blanche.

Marie, baisez-moi ; non, ne me baisez pas,
Mais tirez-moi le cœur de votre douce haleine ;
Non, ne le tirez pas, mais hors de chaque veine
Sucez-moi toute l'âme éparse entre vos bras ;
Non, ne la sucez pas ; car après le trépas
Que serais-je sinon une semblance* vaine,
Sans corps, dessus la rive, où l'amour ne démène
(Pardonne-moi, Pluton[1]) qu'en feintes ses ébats ?
Pendant que nous vivons, entr'aimons-nous, Marie,
Amour ne règne pas sur la troupe blêmie
Des morts, qui sont sillés* d'un long somme de fer.
C'est abus que Pluton ait aimé Proserpine[2] ;
Si doux soin n'entre point en si dure poitrine :
Amour règne en la terre et non point en enfer.

Second livre des Amours, Amours de Marie
(1555), XLIV

1. Dans la mythologie grecque, Pluton est le dieu des Enfers.
2. Dieu des morts, Pluton emporte Proserpine avec lui aux Enfers. Mais la mère de celle-ci, déesse des terres cultivées, est si triste qu'elle délaisse les moissons. La famine devient si rude que Pluton accepte de laisser Proserpine retourner voir sa mère quelques mois de l'année. On attribue à ce récit l'alternance des saisons : lorsque Proserpine remonte sur terre, les fleurs et le blé se remettent à pousser ; quand elle redescend, l'hiver et la désolation retombent sur le monde.

L'ALOUETTE

Hé Dieu ! que je porte d'envie
Aux félicités de ta vie,
Alouette, qui de l'amour
Caquettes dès le point du jour,
Secouant la douce rosée
En l'air, dont tu es arrosée.
Devant que* Phoebus* soit levé
Tu enlèves ton corps lavé
Pour l'essuyer près de la nue,
Trémoussant d'une aile menue
Et te sourdant* à petits bonds,
Tu dis en l'air de si doux sons
Composés de ta tirelire,
Qu'il n'est amant qui ne désire
Comme toi devenir oiseau
Pour dégoiser* un chant si beau ;
Puis, quand tu t'es bien élevée,
Tu tombes comme une fusée
Qu'une jeune pucelle au soir
De sa quenouille laisse choir,
Quand au foyer elle sommeille,
Frappant son sein de son oreille...
Tu vis sans offenser personne ;
Ton bec innocent ne moissonne
Le froment, comme ces oiseaux
Qui font aux hommes mille maux,
Soit que le blé rongent en herbe,
Ou bien qu'ils l'égrènent en gerbe ;

Mais tu vis par les sillons verts
De petits fourmis et de vers ;
Ou d'une mouche, ou d'une achée
Tu portes aux tiens la becquée,
Ou d'une chenille qui sort
Des feuilles, quand l'Hiver est mort...
Ainsi jamais la main pillarde*
D'une pastourelle* mignarde*
Parmi les sillons épiant
Votre nouveau nid pépiant,
Quand vous chantez, ne le dérobe
Ou dans son sein, ou dans sa robe.
Vivez, oiseaux, et vous haussez
Toujours en l'air, et annoncez
De votre chant et de votre aile
Que le Printemps se renouvelle.

Nouvelle Continuation des Amours
(1556), XXXIX

CONTRE LES BÛCHERONS DE LA FORÊT DE GATINE

... Écoute, Bûcheron, arrête un peu le bras !
Ce ne sont pas des bois que tu jettes à bas :
Ne vois-tu pas le sang, lequel dégoutte* à force
Des Nymphes qui vivaient dessous la dure écorce ?
Sacrilège meurtrier, si on pend un voleur
Pour piller un butin de bien peu de valeur,
Combien de feux, de fers, de morts et de détresses
Mérites-tu, méchant, pour tuer des Déesses ?
Forêt, haute maison des oiseaux bocagers,
Plus le cerf solitaire et les chevreuils légers
Ne paîtront sous ton ombre, et ta verte crinière
Plus du soleil d'été ne rompra la lumière,
Plus l'amoureux pasteur* sur un tronc adossé,
Enflant son flageolet à quatre trous percé,
Son mâtin à ses pieds, à son flanc sa houlette,
Ne dira plus l'ardeur de sa belle Janette.
Tout deviendra muet ; Écho sera sans voix ;
Tu deviendras campagne et, en lieu de tes bois,
Dont l'ombrage incertain lentement se remue,
Tu sentiras le soc, le coutre et la charrue ;
Tu perdras ton silence, et haletants d'effroi
Ni Satyres ni Pans ne viendront plus chez toi.
Adieu, vieille forêt, le jouet de Zéphyr,
Où premier j'accordai les langues de ma lyre,
Où premier j'entendis les flèches résonner
D'Apollon, qui me vint tout le cœur étonner ;

Où premier admirant la belle Calliope[1],
Je devins amoureux de sa neuvaine trope[2],
Quand sa main sur le front cent roses me jeta
Et de son propre lait Euterpe[3] m'allaita.
Adieu, vieille forêt, adieu têtes sacrées,
De tableaux et de fleurs autrefois honorées,
Maintenant le dédain des passants altérés,
Qui, brûlez en été des rayons éthérés*,
Sans plus trouver le frais de tes douces verdures,
Accusent vos meurtriers et leur disent injures.
Adieu, chênes, couronne aux vaillants citoyens,
Arbres de Jupiter, germes dodonéens*,
Qui premiers aux humains donnâtes à repaître !
Peuples vraiment ingrats, qui n'ont su reconnaître
Les biens reçus de vous, peuples vraiment grossiers
De massacrer ainsi nos pères nourriciers !
Que l'homme est malheureux qui au monde se fie !
O Dieux, que véritable est la Philosophie
Qui dit que toute chose à la fin périra
Et qu'en changeant de forme une autre vêtira ;
De Tempé la vallée un jour sera montagne
Et la cime d'Athos une large campagne,
Neptune quelquefois de blé sera couvert ;
La matière demeure, et la forme se perd.

Élégies (1584), XXIV

---

1. Calliope est la muse de la poésie. Le vers suivant parle de « neuvaine » car elle est la « neuvième » muse.
2. Troupe de neuf (Muses).
3. Euterpe : muse de la musique.

Joachim Du Bellay

(1522-1560)

Ami de Ronsard, Du Bellay appartient à la Pléiade. Il chante ses amours pour Olive jusqu'à ce qu'un séjour de quatre ans à Rome change sa vie et sa poésie. Il publie alors des Regrets *(1558), où il exprime son fort mal du pays. Le* carpe diem *y change de tournure : il ne désigne plus la femme, mais le bonheur lié au pays natal et à la nature.*

Si notre vie est moins qu'une journée
En l'éternel, si l'an qui fait le tour
Chasse nos jours sans espoir de retour,
Si périssable est toute chose née,

Que songes-tu, mon âme emprisonnée ?
Pourquoi te plaît l'obscur de notre jour,
Si pour voler en un plus clair séjour
Tu as au dos l'aile bien empanée* ?

Là est le bien que tout esprit désire,
Là, le repos où tout le monde aspire,
Là est l'amour, là, le plaisir encore.

Là, ô mon âme, au plus haut ciel guidée,
Tu y pourras reconnaître l'Idée[1]
De la beauté, qu'en ce monde j'adore.

L'Olive (1549), IV

1. Du Bellay fait référence à la théorie néo-platonicienne* de l'amour.

Heureux qui, comme Ulysse, a fait un beau voyage,
Ou comme celui-là qui conquit la toison[1],
Et puis est retourné, plein d'usage et raison,
Vivre entre ses parents le reste de son âge !
Quand reverrai-je, hélas, de mon petit village
Fumer la cheminée : et en quelle saison
Reverrai-je le clos de ma pauvre maison,
Qui m'est une province, et beaucoup d'avantage ?
Plus me plaît le séjour qu'ont bâti mes aïeux,
Que des palais romains le front audacieux :
Plus que le marbre dur me plaît l'ardoise fine,
Plus mon Loire gaulois, que le Tibre latin,
Plus mon petit Liré, que le mont Palatin,
Et plus que l'air marin la douceur angevine.

Les Regrets (1558), XI

1. Jason partit conquérir la toison d'or.

Le fort sommeil, que céleste on doit croire,
Plus doux que miel, coulait aux yeux lassés,
Lors que d'amour les plaisirs amassés
Entrent en moi par la porte d'ivoire.
J'avais lié ce col* de marbre : voir
Ce sein d'albâtre, en mes bras enlacés
Non moins qu'on voit les ormes embrassés
Du sep lascif, au fécond bord de Loire.
Amour avait en mes lasses moelles
Dardé* le trait* de ses flammes cruelles,
Et l'âme errait par ces lèvres de roses,
Preste d'aller au fleuve oblivieux*,
Quand le réveil de mon aise envieux
Du doux sommeil a les portes décloses.

Premiers recueils (1549-1553), XIV

DU RETOUR DU PRINTEMPS

À Jean Dorat

De l'hiver la triste froidure
Va sa rigueur adoucissant,
Et des eaux l'écorce tant dure
Au doux Zéphire amollissant.
Les oiseaux par les bois
Ouvrent à cette fois
Leurs gosiers étrécis,
Et plus sous durs glaçons
Ne sentent les poissons
Leurs manoirs raccourcis.
La froide humeur des monts chenus*
Enfle déjà le cours des fleuves,
Déjà les cheveux sont venus
Aux forêts si longuement veuves.
La Terre au Ciel riant
Va son teint variant
De mainte couleur vive :
Le Ciel (pour lui complaire)
Orne sa face claire
De grand' beauté naïve.
Vénus ose jà* sur la brune*
Mener danses gaies, et cointes*
Aux pâles rayons de la lune,
Ses Grâces aux Nymphes bien jointes.
Maint Satyre outrageux,
Par les bois ombrageux,

Ou du haut d'un rocher,
(Quoi que tout brûle, et arde*)
Étonné les regarde,
Et n'en ose approcher.
Or est temps que l'on se couronne
De l'arbre à Vénus consacré,
Ou que sa tête on environne
Des fleurs qui viennent de leur gré.
Qu'on donne au vent aussi
Cet importun souci,
Qui tant nous fait la guerre :
Que l'on voie sautant,
Que l'on voie heurtant
D'un pied libre la terre.
Voici, déjà l'été, qui tonne,
Chasse le peu durable ver,
L'été le fructueux automne,
L'automne le frileux hiver.
Mais les lunes volages
Ces célestes dommages
Réparent : et nous hommes,
Quand descendons aux lieux
De nos ancêtres vieux,
Ombre, et poudre nous sommes.
Pourquoi donc avons-nous envie
Du soin qui les cœurs ronge, et fend ?
Le terme bref de notre vie
Long espoir nous défend.
Ce que les Destinées
Nous donnent de journées,
Estimons que c'est gain.
Que sais-tu si les Dieux
Octroieront à tes yeux
De voir un lendemain ?
Dis à ta lyre qu'elle enfante
Quelque vers, dont le bruit soit tel,
Que ta Vienne à jamais se vante
Du nom de Dorat immortel.
Ce grand tour violant

De l'an léger-volant*
Ravit et jours, et mois :
Non les doctes écrits,
Qui sont de nos esprits
Les perdurables voix.

Vers lyriques (1549), Ode VIII

Rémy Belleau

(1528-1577)

Les poésies de Rémy Belleau, proche de Ronsard et amoureux de poésie grecque, sont ici éclairées d'une grande sensualité. La dimension ludique agrémente ces œuvres, qui sont une invitation aux plaisirs charnels. Toutefois,* Le désir *les teinte d'une certaine sagesse, proprement épicurienne : jouissons, mais seulement de ce que nous possédons.*

LE DÉSIR

Celui n'est pas heureux qui n'a ce qu'il désire,
Mais bienheureux celui qui ne désire pas
Ce qu'il n'a point : l'un sert de gracieux appas
Pour le contentement et l'autre est un martyre.
Désirer est tourment qui brûlant nous altère
Et met en passion ; donc ne désirer rien
Hors de notre pouvoir, vivre content du sien
Ores qu'il fut petit, c'est fortune prospère.

Le Désir d'en avoir pousse la nef* en proie
Du corsaire, des flots, des roches et des vents
Le Désir importun aux petits d'être grands,
Hors du commun sentier bien souvent les dévoie.

L'un poussé de l'honneur par flatteuse industrie
Désire ambitieux sa fortune avancer ;
L'autre se voyant pauvre à fin d'en amasser
Trahit son Dieu, son Roi, son sang et sa patrie.

L'un pipé* du Désir, seulement pour l'envie
Qu'il a de se gorger de quelque faux plaisir,
Enfin ne gagne rien qu'un fâcheux déplaisir,
Perdant son heur*, son temps, et bien souvent la vie.

L'un pour se faire grand et redorer l'image
À sa triste fortune, époint* de cette ardeur,
Soupire après un vent qui le plonge en erreur,
Car le Désir n'est rien qu'un périlleux orage.

L'autre esclave d'Amour, désirant l'avantage
Qu'on espère en tirer, n'embrassant que le vent,
Loyer de ses travaux, est payé bien souvent
D'un refus, d'un dédain et d'un mauvais visage.

L'un plein d'ambition, désireux de paraître
Favori de son Roi, recherchant son bonheur,
Avançant sa fortune, avance son malheur,
Pour avoir trop sondé le secret de son maistre.

Désirer est un mal, qui vain nous ensorcelle ;
C'est heur que de jouir, et non pas d'espérer :
Embrasser l'incertain, et toujours désirer
Est une passion qui nous met en cervelle*.

Bref le Désir n'est rien qu'ombre et que pur mensonge,
Qui travaille nos sens d'un charme ambitieux,
Nous déguisant le faux pour le vrai, qui nos yeux
Va trompant tout ainsi que l'image d'un songe.

Les Pierres précieuses (1576)

Pendant que votre main docte, gentille et belle
Va triant dextrement les odorantes fleurs
Par ces prés émaillés en cent et cent couleurs,
Par le sacré labeur de la troupe immortelle :

Gardez* qu'Amour tapi sous la robe nouvelle
De quelque belle fleur n'évente ses chaleurs,
Et qu'au lieu de penser amortir vos douleurs,
D'un petit trait* de feu ne vous les renouvelle.

En recueillant des fleurs la fille d'Agénor[1]
Fut surprise d'Amour, et Proserpine encor
L'une fille de roi, l'autre toute déesse.

Il ne faut seulement que souffler un bien peu
Le charbon échauffé, pour allumer un feu,
Duquel vous ne pourriez enfin être maîtresse.

La Bergerie (1565)

---

1. D'après la mythologie, la fille d'Agénor est la princesse Europe. Voir note 2, page 22. Pour Proserpine, voir note 2, page 26.

DOUCE ET BELLE BOUCHELETTE

Ainsi, ma douce guerrière
Mon cœur, mon tout, ma lumière,
Vivons ensemble, vivons
Et suivons

Les doux sentiers de la jeunesse :
Aussi bien une vieillesse
Nous menace sur le port,
Qui, toute courbe et tremblante,
Nous entraîne chancelante
La maladie et la mort.

La Bergerie (1565)

EMBRASSE-MOI, MON CŒUR...

Embrasse-moi, mon cœur, baise-moi, je t'en prie,
Presse-moi, serre-moi ! À ce coup je me meurs !
Mais ne me laisse pas en ces douces chaleurs :
Car c'est à cette fois que je te perds, ma vie.

Mon ami, je me meurs et mon âme assouvie
D'amour, de passions, de plaisirs, de douceurs,
S'enfuit, se perd, s'écoule et va loger ailleurs,
Car ce baiser larron* me l'a vraiment ravie.

Je pâme* ! Mon ami ! mon ami, je suis morte !
Hé ! ne me baisez plus, au moins de cette sorte.
C'est ta bouche, mon cœur, qui m'avance la mort.

Ôte-la donc, m'amour, ôte-la, je me pâme !
Ôte-la, mon ami, ôte-la, ma chère âme,
Ou me laisse mourir en ce plaisant effort !

La Bergerie (1565)

Si tu veux que je meure entre tes bras, m'amie*,
Trousse l'escarlatin* de ton beau pellisson*
Puis me baise et me presse et nous entrelaçons
Comme, autour des ormeaux, le lierre se plie.

Dégrafe ce collet, m'amour, que je manie
De ton sein blanchissant le petit mont besson* :
Puis me baise et me presse, et me tiens de façon
Que le plaisir commun nous enivre, ma vie.

L'un va cherchant la mort aux flancs d'une muraille
En escarmouche, en garde, en assaut, en bataille
Pour acheter un nom qu'on surnomme l'honneur.

Mais moi, je veux mourir sur tes lèvres, maîtresse,
C'est ma gloire, mon heur*, mon trésor, ma richesse,
Car j'ai logé ma vie en ta bouche, mon cœur.

La Bergerie (1565)

ÉTIENNE JODELLE

(1532-1573)

Étienne Jodelle est celui des poètes de la Pléiade qui connut la destinée la plus curieuse et la plus sombre. Après l'enthousiasme provoqué par sa pièce Cléopâtre captive, *alors qu'il a 21 ans, il ne publie presque plus rien et connaît un échec retentissant en 1558 quand il organise une fête en l'honneur du roi.*

Comme un qui s'est perdu dans la forêt profonde
Loin de chemin, d'orée et d'adresse, et de gens :
Comme un qui en la mer grosse d'horribles vents,
Se voit presque engloutir des grandes vagues de l'onde

Comme un qui erre aux champs, lors que la nuit au [monde
Ravit toute clarté, j'avais perdu long temps
Voie, route, et lumière, et presque avec le sens,
Perdu long temps l'objet, où plus mon heur* se fonde.

Mais quand on voit (ayant ces maux fini leur tour)
Aux bois, en mer, aux champs, le bout, le port, le jour,
Ce bien présent plus grand que son mal on vient croire.

Moi donc qui ai tout tel en votre absence été,
J'oublie, en revoyant votre heureuse clarté,
Forêt, tourmente, et nuit, longue, orageuse, et noire.

Amours, contr'amours (1574, éd. posth.)

Ô traîtres vers, trop traîtres contre moi,
Qui souffle en vous une immortelle vie,
Vous m'appâtez et croissez mon envie,
Me déguisant tout ce que j'aperçois.

Je ne vois rien dedans elle pourquoi
A l'aimer tant ma rage me convie :
Mais nonobstant* ma pauvre âme asservie
Ne me la feint telle que je la vois.

C'est donc par vous, c'est par vous traîtres carmes*,
Qui me liez moi-même dans mes charmes,
Vous son seul fard, vous son seul ornement,

Jà* si longtemps faisant d'un Diable un Ange,
Vous m'ouvrez l'œil en l'injuste louange,
Et m'aveuglez en l'injuste tourment.

Amours, contr'amours (1574, éd. posth.)

Jacques Grévin

(1538-1570)

Génie précoce, Jacques Grévin donne sa première comédie à vingt ans ; sa première tragédie et sa seconde comédie, Les Ébahis, *à vingt-deux. Non content d'être dramaturge, il se fait poète, puis médecin. Ce poème est un appel fort direct à jouir de la jeunesse.*

Mon Bien, mon Mal, ma Mort, ma Vie,
Ma Compagne, mon Ennemie,
Ma Toute douce, ma Rigueur,
Mon Amertume, ma Douceur,
Mon Tout, mon Rien, et ma Parfaite,
Ma Gentillesse, ma Doucette,
Ma Gaillardise, ma Brunette,
Ma Fière, hélas ! me tuerez-vous
D'un seul regard à tous les coups ?
Allons, Belle, sous ce rosier,
Allons ma Toute désirée,
Allons voir si la Cythérée
N'a rien cueilli depuis hier.
Pourquoi vous faites-vous prier ?
Ne vaut-il pas mieux cependant
Que le soleil n'est point ardant
Cueillir cette belle jeunesse,
Qu'attendre une morne vieillesse ?

Extrait du Second Livre de l'Olympe (1561)

Louise Labé

(1525-1566)

Louise Labé est une poétesse majeure du XVIe siècle. Elle invente une écriture féminine aussi chaude et sensuelle que ses contemporains masculins qui, bien souvent, s'inspirent d'elle sans oser l'avouer.

Baise m'encor, rebaise-moi et baise
Donne m'en un de tes plus savoureux,
Donne m'en un de tes plus amoureux :
Je t'en rendrai quatre plus chauds que braise.

Las, te plains-tu ? ça que ce doux mal j'apaise,
En t'en donnant dix autres doucereux.
Ainsi mêlant nos baisers tant heureux
Jouissons-nous l'un de l'autre à notre aise.

Lors double vie à chacun en suivra.
Chacun en soi et son ami vivra.
Permets m'Amour penser quelque folie :

Toujours suis mal, vivant discrètement
Et ne me puis donner contentement,
Si hors de moi ne fais quelque saillie.

Œuvres (1555), XVII

II

La postérité du *carpe diem*

XVIIe siècle : l'éternel passage

Si la Renaissance utilise l'appel épicurien comme un hymne à la volupté, le « siècle de Louis XIV » insiste davantage sur la dimension tragique de la fuite temporelle. Épicure disait qu'il faut vivre dans le présent car lui seul *existe* ; au XVIIe siècle, c'est l'éternel passage qui est mis en avant. Tout change, tout se transforme, rien ne possède une forme définitive. Cette instabilité des formes engendre des bouleversements perpétuels. Aussi, quoique le thème du *carpe diem* se poursuive au XVIIe siècle, l'accent ne porte-t-il plus sur les mêmes enjeux. Désormais, il insiste non plus sur l'invite à la jouissance immédiate, mais sur la notion de mouvement, de fuite du temps, de vieillesse. Les « Stances à Marquise », de Pierre Corneille, sont toujours teintées d'humour, mais d'un humour grinçant, agressif.

Plutôt que « Profite de la vie », le XVIIe siècle traduirait *carpe diem* par « La vie ne dure qu'un instant ».

Guillaume Colletet

(1598-1659)

Guillaume Colletet se considère comme un disciple de Ronsard. Son poème reprend le célèbre thème du carpe diem *ronsardien : la beauté féminine se fane, celle du poète demeure pour l'éternité.*

Claudine, avec le temps tes grâces passeront,
Ton jeune teint perdra sa pourpre et son ivoire,
Le ciel qui te fit blonde un jour te verra noire,
Et, comme je languis, tes beaux yeux languiront.

Ceux que tu traites mal te persécuteront,
Ils riront de l'orgueil qui t'en fait tant accroire,
Ils n'auront plus d'amour, tu n'auras plus de gloire,
Tu mourras, et mes vers jamais ne périront.

O cruelle à mes vœux ou plutôt à toi-même,
Veux-tu forcer des ans la puissance suprême,
Et te survivre encore au-delà du tombeau ?

Que ta douceur m'oblige à faire ton image
Et les ans douteront qui parut le plus beau,

Ou mon esprit ou ton visage.

Amours de Claudine (1656)

Pierre Corneille

(1606-1684)

Le célèbre dramaturge, auteur du Cid *(1637), s'essaie à son tour au thème de la beauté fugace et de l'art immortel. Mais son poème revêt des accents de cruauté dont les poèmes de Ronsard, plus ludiques, étaient dénués. On sent ici l'influence des salons et de l'art de la pointe.*

STANCES À MARQUISE

Cependant j'ai quelques charmes
Qui sont assez éclatants
Pour n'avoir pas trop d'alarmes
De ces ravages du temps.

Vous en avez qu'on adore ;
Mais ceux que vous méprisez
Pourraient bien durer encore
Quand ceux-là seront usés.

Ils pourront sauver la gloire
Des yeux qui me semblent doux,
Et dans mille ans faire croire
Ce qu'il me plaira de vous.

Chez cette race nouvelle
Où j'aurai quelque crédit,
Vous ne passerez pour belle
Qu'autant que je l'aurai dit.

Pensez-y, belle Marquise,
Quoiqu'un grison* fasse effroi,
Il vaut bien qu'on le courtise
Quand il est fait comme moi.

Marquise, si mon visage
A quelques traits un peu vieux,
Souvenez-vous qu'à mon âge
Vous ne vaudrez guère mieux.

Le temps aux plus belles choses
Se plaît à faire un affront :
Il saura faner vos roses
Comme il a ridé mon front.

Le même cours des planètes
Règle nos jours et nos nuits :
On m'a vu ce que vous êtes
Vous serez ce que je suis.

« Stances à Marquise » (1658),
Poésies choisies, cinquième recueil, (1660)

Jean de La Fontaine

(1621-1695)

L'auteur des Fables *(1668-1679) subit l'influence de l'épicurisme. À l'instar du philosophe antique, il prône la modération : il faut profiter de ce que l'on a, sans chercher à assouvir des désirs intarissables. Le jeu galant de Ronsard s'efface ici au profit d'une véritable quête de sagesse.*

LE LOUP ET LE CHASSEUR

Fureur d'accumuler, monstre de qui les yeux
Regardent comme un point tous les bienfaits des Dieux,
Te combattrai-je en vain sans cesse en cet ouvrage ?
Quel temps demandes-tu pour suivre mes leçons ?
L'homme, sourd à ma voix comme à celle du sage,
Ne dira-t-il jamais : C'est assez, jouissons ?
— Hâte-toi, mon ami, tu n'as pas tant à vivre.
Je te rebats* ce mot, car il vaut tout un livre :
Jouis. — Je le ferai. — Mais quand donc ? — Dès [demain.
— Eh ! mon ami, la mort te peut prendre en chemin.
Jouis dès aujourd'hui : redoute un sort semblable
À celui du Chasseur et du Loup de ma fable.
Le premier de son arc avait mis bas un daim.
Un Faon de Biche passe, et le voilà soudain
Compagnon du défunt ; tous deux gisent sur l'herbe.
La proie était honnête ; un Daim avec un Faon,
Tout modeste Chasseur en eût été content :

Cependant un Sanglier, monstre énorme et superbe,
Tente encor notre archer, friand de tels morceaux.
Autre habitant du Styx[1] : la Parque[2] et ses ciseaux
Avec peine y mordaient ; la Déesse infernale
Reprit à plusieurs fois l'heure au monstre fatale.
De la force du coup pourtant il s'abattit.
C'était assez de biens ; mais quoi ? rien ne remplit
Les vastes appétits d'un faiseur de conquêtes.
Dans le temps que le Porc revient à soi, l'archer
Voit le long d'un sillon une perdrix marcher,
Surcroît chétif aux autres têtes.
De son arc toutefois il bande les ressorts.
Le sanglier, rappelant les restes de sa vie,
Vient à lui, le découd, meurt vengé sur son corps ;
Et la perdrix le remercie.
Cette part du récit s'adresse au convoiteux* :
L'avare aura pour lui le reste de l'exemple.
Un Loup vit, en passant, ce spectacle piteux.
Ô fortune, dit-il, je te promets un temple.
Quatre corps étendus ! que de biens ! mais pourtant
Il faut les ménager, ces rencontres sont rares.
(Ainsi s'excusent les avares.)
J'en aurai, dit le Loup, pour un mois, pour autant.
Un, deux, trois, quatre corps, ce sont quatre semaines,
Si je sais compter, toutes pleines.
Commençons dans deux jours ; et mangeons cependant
La corde de cet arc ; il faut que l'on l'ait faite
De vrai boyau ; l'odeur me le témoigne assez.
En disant ces mots, il se jette
Sur l'arc qui se détend, et fait de la sagette
Un nouveau mort, mon Loup a les boyaux percés.

1. Nom donné aux Enfers dans la mythologie.
2. Dans la mythologie, la vie est symbolisée par trois sœurs tisserandes, nommées les Parques. La dernière coupe le fil que ses sœurs brodaient. Par là, elle interrompt le cours de la vie humaine, figurée par la toile lentement tissée. « La Parque », au singulier, désigne donc la mort.

Je reviens à mon texte. Il faut que l'on jouisse ;
Témoin ces deux gloutons punis d'un sort commun ;
La convoitise perdit l'un ;
L'autre périt par l'avarice.

Les Fables (1668-79), Livre 8 (1678), Fable XXVII.

LE SONGE D'UN HABITANT DU MOGOL

Jadis certain Mogol vit en songe un Vizir
Aux champs élysiens* possesseur d'un plaisir
Aussi pur qu'infini, tant en prix qu'en durée ;
Le même songeur vit en une autre contrée
Un Ermite entouré de feux,
Qui touchait de pitié même les malheureux.
Le cas parut étrange, et contre l'ordinaire :
Minos[1] en ces deux morts semblait s'être mépris.
Le dormeur s'éveilla, tant il en fut surpris.
Dans ce songe pourtant soupçonnant du mystère,
Il se fit expliquer l'affaire.
L'interprète lui dit : Ne vous étonnez point ;
Votre songe a du sens ; et, si j'ai sur ce point
Acquis tant soit peu d'habitude,
C'est un avis des Dieux. Pendant l'humain séjour,
Ce Vizir quelquefois cherchait la solitude ;
Cet Ermite aux Vizirs allait faire sa cour.
Si j'osais ajouter au mot de l'interprète,
J'inspirerais ici l'amour de la retraite :
Elle offre à ses amants des biens sans embarras,
Biens purs, présents du Ciel, qui naissent sous les pas.
Solitude où je trouve une douceur secrète,
Lieux que j'aimai toujours, ne pourrai-je jamais,
Loin du monde et du bruit, goûter l'ombre et le frais ?
Oh ! qui m'arrêtera sous vos sombres asiles !

1. Minos, dans la mythologie grecque, est le juge des Enfers.

Quand pourront les neuf Sœurs[1], loin des cours et
[des villes,
M'occuper tout entier, et m'apprendre des Cieux
Les divers mouvements inconnus à nos yeux,
Les noms et les vertus de ces clartés errantes
Par qui sont nos destins et nos mœurs différentes !
Que si je ne suis né pour de si grands projets,
Du moins que les ruisseaux m'offrent de doux objets !
Que je peigne en mes Vers quelque rive fleurie !
La Parque[2] à filets d'or n'ourdira point ma vie ;
Je ne dormirai point sous de riches lambris ;
Mais voit-on que le somme en perde de son prix ?
En est-il moins profond, et moins plein de délices ?
Je lui voue au désert de nouveaux sacrifices.
Quand le moment viendra d'aller trouver les morts,
J'aurai vécu sans soins, et mourrai sans remords.

Les Fables (1668-79), Livre 11 (1679), Fable IV

---

1. Référence aux neufs Muses.
2. Voir note 2, page 54.

XVIIIe siècle : l'ataraxie

Le XVIIIe siècle est certainement la période la plus soucieuse de retrouver les racines épicuriennes. Le *carpe diem* n'y sert plus d'exhortation sensuelle mais de réelle quête métaphysique du bonheur. Gommé aux XVIe et XVIIe siècles, le thème de l'ataraxie* réapparaît. Durant le siècle des Lumières, où prédomine la pensée philosophique, il permet aux auteurs de réfléchir sur l'absence de troubles. Il s'agit de rechercher une authentique sagesse. L'ataraxie redevient donc un thème majeur, intégré dans un modèle de vie.

Mais déjà, certains, tels Helvétius ou Diderot, affirment la suprématie des passions. La vie sans trouble, prônée par Voltaire à la fin de *Candide*, est mise à mal par l'idée que l'homme est gouverné (et – élément nouveau – qu'il est bénéfique qu'il le soit) par elles.

VOLTAIRE

(1694-1778)

Philosophe du « Siècle des Lumières », Voltaire défend une morale modérée : « cueillir » le temps présent sans tomber dans les excès de la débauche. Il s'agit de jouir de notre vie terrestre, sans attendre le Salut éternel. Tel était le message d'Épicure, mais, à l'époque où écrit Voltaire, ses propos prennent une forte teinte provocatrice et athée.

SUR LA NATURE DU PLAISIR

Jusqu'à quand verrons-nous ce rêveur fanatique
Fermer le ciel au monde, et d'un ton despotique
Damnant le genre humain, qu'il prétend convertir,
Nous prêcher la vertu pour la faire haïr ?
Sur les pas de Calvin[1], ce fou sombre et sévère
Croit que Dieu, comme lui, n'agit qu'avec colère.
Je crois voir d'un tyran le ministre abhorré,
D'esclaves qu'il a faits tristement entouré,
Dictant d'un air hideux ses volontés sinistres.
Je cherche un roi plus doux, et de plus doux ministres.
Timon se croit parfait depuis qu'il n'aime rien :
Il faut que l'on soit homme avant d'être chrétien.
Je suis homme, et d'un Dieu je chéris la clémence.
Mortels, venez à lui, mais par reconnaissance.
La nature, attentive à remplir vos désirs,

1. Jean Calvin (1509-1564) est un réformateur protestant. Il en appelle à une austérité des mœurs et applique des préceptes parfois si rigides qu'il va jusqu'à faire brûler un médecin déclaré hérétique.

Vous appelle à ce Dieu par la voix des plaisirs.
Nul encor n'a chanté sa bonté tout entière :
Par le seul mouvement il conduit la matière ;
Mais c'est par le plaisir qu'il conduit les humains.
Sentez du moins les dons prodigués par ses mains.
Tout mortel au plaisir a dû son existence ;
Par lui le corps agit, le cœur sent, l'esprit pense.
Soit que du doux sommeil la main ferme vos yeux,
Soit que le jour pour vous vienne embellir les cieux,
Soit que, vos sens flétris cherchant leur nourriture,
L'aiguillon de la faim presse en vous la nature,
Ou que l'amour vous force en des moments plus doux
À produire un autre être, à revivre après vous ;
Partout d'un Dieu clément la bonté salutaire
Attache à vos besoins un plaisir nécessaire.
Les mortels, en un mot, n'ont point d'autre moteur.
Sans l'attrait du plaisir, sans ce charme vainqueur,
Qui des lois de l'hymen eût subi l'esclavage ?
Quelle beauté jamais aurait eu le courage
De porter un enfant dans son sein renfermé,
Qui déchire en naissant les flancs qui l'ont formé ;
De conduire avec crainte une enfance imbécile,
Et d'un âge fougueux l'imprudence indocile ?
Ah ! dans tous vos états, en tout temps, en tout lieu,
Mortels, à vos plaisirs reconnaissez un Dieu.
Que dis-je ? à vos plaisirs ! c'est à la douleur même
Que je connais de Dieu la sagesse suprême.
Ce sentiment si prompt dans nos cœurs répandu,
Parmi tous nos dangers sentinelle assidu,
D'une voix salutaire incessamment nous crie :
Ménagez, défendez, conservez votre vie.
Chez de sombres dévots l'amour-propre est damné ;
C'est l'ennemi de l'homme, aux enfers il est né.
Vous vous trompez, ingrats ; c'est un don de Dieu [même.
Tout amour vient du ciel : Dieu nous chérit, il s'aime ;
Nous nous aimons dans nous, dans nos biens, dans [nos fils,

Dans nos concitoyens, surtout dans nos amis :
Cet amour nécessaire est l'âme de notre âme ;
Notre esprit est porté sur ses ailes de flamme.
Oui, pour nous élever aux grandes actions,
Dieu nous a, par bonté, donné les passions :
Tout dangereux qu'il est, c'est un présent céleste ;
L'usage en est heureux, si l'abus est funeste.
J'admire et ne plains point un cœur maître de soi,
Qui, tenant ses désirs enchaînés sous sa loi,
S'arrache au genre humain pour Dieu qui nous fit
[naître ;
Se plaît à l'éviter plutôt qu'à le connaître ;
Et, brûlant pour son Dieu d'un amour dévorant,
Fuit les plaisirs permis pour un plaisir plus grand.
Mais que, fier de ses croix, vain de ses abstinences,
Et surtout en secret lassé de ses souffrances,
Il condamne dans nous tout ce qu'il a quitté,
L'hymen, le nom de père, et la société :
On voit de cet orgueil la vanité profonde ;
C'est moins l'ami de Dieu que l'ennemi du monde ;
On lit dans ses chagrins les regrets des plaisirs.
Le ciel nous fit un cœur, il lui faut des désirs.
Des stoïques nouveaux le ridicule maître
Prétend m'ôter à moi, me priver de mon être :
Dieu, si nous l'en croyons, serait servi par nous
Ainsi qu'en son sérail un musulman jaloux,
Qui n'admet près de lui que ces monstres d'Asie
Que le fer a privés des sources de la vie.
Vous qui vous élevez contre l'humanité,
N'avez-vous lu jamais la docte antiquité !
Ne connaissez-vous point les filles de Pélie[1] ?
Dans leur aveuglement voyez votre folie.
Elles croyaient dompter la nature et le temps,
Et rendre leur vieux père à la fleur de ses ans :
Leurs mains par piété dans son sein se plongèrent ;

1. D'après la mythologie, les filles de Pélie assassinent leur père sur les conseils de Médée. Cette dernière leur assure en effet qu'en le tuant, elles lui offriront une jeunesse éternelle.

Croyant le rajeunir, ses filles l'égorgèrent.
Voilà votre portrait, stoïques abusés,
Vous voulez changer l'homme, et vous le détruisez.
Usez, n'abusez point ; le sage ainsi l'ordonne.
Je fuis également Épictète et Pétrone[1].
L'abstinence ou l'excès ne fit jamais d'heureux.
Je ne conclus donc pas, orateur dangereux,
Qu'il faut lâcher la bride aux passions humaines :
De ce coursier fougueux je veux tenir les rênes ;
Je veux que ce torrent, par un heureux secours,
Sans inonder mes champs, les abreuve en son cours :
Vents, épurez les airs, et soufflez sans tempêtes ;
Soleil, sans nous brûler, marche et luis sur nos têtes.
Dieu des êtres pensants, Dieu des cœurs fortunés,
Conservez les désirs que vous m'avez donnés,
Ce goût de l'amitié, cette ardeur pour l'étude,
Cet amour des beaux-arts et de la solitude :
Voilà mes passions ; mon âme en tous les temps
Goûta de leurs attraits les plaisirs consolants.
Quand sur les bords du Mein deux écumeurs barbares,
Des lois des nations violateurs avares,
Deux fripons à brevet, brigands accrédités,
Épuisaient contre moi leurs lâches cruautés,
Le travail occupait ma fermeté tranquille ;
Des arts qu'ils ignoraient leur antre fut l'asile.
Ainsi le dieu des bois enflait ses chalumeaux
Quand le voleur Cacus enlevait ses troupeaux :
Il n'interrompit point sa douce mélodie.
Heureux qui jusqu'au temps du terme de sa vie,
Des beaux-arts amoureux, peut cultiver leurs fruits !
Il brave l'injustice, il calme ses ennuis ;
Il pardonne aux humains, il rit de leur délire,
Et de sa main mourante il touche encor sa lyre.

Cinquième Discours sur l'homme (1734)

1. Épictète (v. 50-125) est un stoïcien prônant un ascétisme extrême, tandis que Pétrone (?-66) incarne la débauche. Voltaire revendique une voie médiane, entre ces deux excès.

LE MONDAIN

Regrettera qui veut le bon vieux temps,
Et l'âge d'or, et le règne d'Astrée[1],
Et les beaux jours de Saturne[2] et de Rhée[3],
Et le jardin[4] de nos premiers parents ;
Moi je rends grâce à la nature sage
Qui, pour mon bien, m'a fait naître en cet âge
Tant décrié par nos tristes frondeurs :
Ce temps profane est tout fait pour mes mœurs.
J'aime le luxe, et même la mollesse,
Tous les plaisirs, les arts de toute espèce,
La propreté, le goût, les ornements :
Tout honnête homme a de tels sentiments.
Il est bien doux pour mon cœur très immonde
De voir ici l'abondance à la ronde,
Mère des arts et des heureux travaux,
Nous apporter, de sa source féconde,
Et des besoins et des plaisirs nouveaux.
L'or de la terre et les trésors de l'onde,
Leurs habitants et les peuples de l'air,
Tout sert au luxe, aux plaisirs de ce monde.
Ô le bon temps que ce siècle de fer !
Le superflu, chose très nécessaire,

---

1. Astrée : déesse de la Justice.
2. Saturne : dieu du Temps.
3. Rhéa : avec Saturne, dieux fondateurs de l'Âge d'or, moment où tout bien abondait sur la Terre.
4. Référence au Paradis terrestre.

A réuni l'un et l'autre hémisphère.
Voyez-vous pas ces agiles vaisseaux
Qui, du Texel[1], de Londres, de Bordeaux,
S'en vont chercher, par un heureux échange,
De nouveaux biens, nés aux sources du Gange,
Tandis qu'au loin, vainqueurs des musulmans[2],
Nos vins de France enivrent les sultans ?
Quand la nature était dans son enfance,
Nos bons aïeux vivaient dans l'ignorance,
Ne connaissant ni le tien ni le mien.
Qu'auraient-ils pu connaître ? ils n'avaient rien.
Ils étaient nus : et c'est chose très claire
Que qui n'a rien n'a nul partage à faire.
Sobres étaient. Ah ! je le crois encor :
Martialo[3] n'est point du siècle d'or.
D'un bon vin frais ou la mousse ou la sève
Ne gratta point le triste gosier d'Ève ;
La soie et l'or ne brillaient point chez eux.
Admirez-vous pour cela nos aïeux ?
Il leur manquait l'industrie et l'aisance :
Est-ce vertu ? c'était pure ignorance.
Quel idiot, s'il avait eu pour lors
Quelque bon lit, aurait couché dehors ?
Mon cher Adam, mon gourmand, mon bon père,
Que faisais-tu dans les jardins d'Eden ?
Travaillais-tu pour ce sot genre humain ?
Caressais-tu madame Ève ma mère ?
Avouez-moi que vous aviez tous deux
Les ongles longs, un peu noirs et crasseux,
La chevelure un peu mal ordonnée,
Le teint bruni, la peau bise et tannée.
Sans propreté l'amour le plus heureux
N'est plus amour, c'est un besoin honteux.
Bientôt lassés de leur belle aventure,
Dessous un chêne ils soupent galamment

---

1. Texel : port de Hollande.
2. Le Coran interdit aux croyants de boire de l'alcool.
3. Martialo : auteur d'un livre de gastronomie.

Avec de l'eau, du millet, et du gland ;
Le repas fait, ils dorment sur la dure :
Voilà l'état de la pure nature.
Or maintenant voulez-vous, mes amis,
Savoir un peu, dans nos jours tant maudits,
Soit à Paris, soit dans Londres, ou dans Rome,
Quel est le train des jours d'un honnête homme ?
Entrez chez lui : la foule des beaux-arts,
Enfants du goût, se montre à vos regards.
De mille mains l'éclatante industrie
De ces dehors orna la symétrie.
L'heureux pinceau, le superbe dessin
Du doux Corrège et du savant Poussin
Sont encadrés dans l'or d'une bordure ;
C'est Bouchardon qui fit cette figure,
Et cet argent fut poli par Germain.
Des Gobelins l'aiguille et la teinture
Dans ces tapis surpassent la peinture.
Tous ces objets sont vingt fois répétés
Dans des trumeaux tout brillants de clartés.
De ce salon je vois par la fenêtre,
Dans des jardins, des myrtes en berceaux ;
Je vois jaillir les bondissantes eaux.
Mais du logis j'entends sortir le maître :
Un char commode, avec grâces orné,
Par deux chevaux rapidement traîné,
Paraît aux yeux une maison roulante,
Moitié dorée, et moitié transparente :
Nonchalamment je l'y vois promené ;
De deux ressorts la liante souplesse
Sur le pavé le porte avec mollesse
Il court au bain : les parfums les plus doux
Rendent sa peau plus fraîche et plus polie.
Le plaisir presse ; il vole au rendez-vous
Chez Camargo, chez Gaussin, chez Julie ;
Il est comblé d'amour et de faveurs.
Il faut se rendre à ce palais magique
Où les beaux vers, la danse, la musique,
L'art de tromper les yeux par les couleurs,

L'art plus heureux de séduire les cœurs,
De cent plaisirs font un plaisir unique.
Il va siffler quelque opéra nouveau,
Ou, malgré lui, court admirer Rameau.
Allons souper. Que ces brillants services,
Que ces ragoûts ont pour moi de délices !
Qu'un cuisinier est un mortel divin !
Chloris, Églé, me versent de leur main
D'un vin d'Aï dont la mousse pressée,
De la bouteille avec force élancée,
Comme un éclair fait voler le bouchon ;
Il part, on rit ; il frappe le plafond.
De ce vin frais l'écume pétillante
De nos Français est l'image brillante.
Le lendemain donne d'autres désirs,
D'autres soupers, et de nouveaux plaisirs.
Or maintenant, monsieur du Télémaque,
Vantez-nous bien votre petite Ithaque,
Votre Salente, et vos murs malheureux,
Où vos Crétois, tristement vertueux,
Pauvres d'effet, et riches d'abstinence,
Manquent de tout pour avoir l'abondance :
J'admire fort votre style flatteur,
Et votre prose, encor qu'un peu traînante ;
Mais, mon ami, je consens de grand cœur
D'être fessé dans vos murs de Salente,
Si je vais là pour chercher mon bonheur.
Et vous, jardin de ce premier bonhomme,
Jardin fameux par le diable et la pomme,
C'est bien en vain que, par l'orgueil séduits,
Huet, Calmet, dans leur savante audace,
Du paradis ont recherché la place :
Le paradis terrestre est où je suis.

Le Mondain (1736)

CANDIDE

Candide *(1759) est une fable philosophique. Elle relate les tribulations du jeune Candide qui, sur les conseils de l'optimiste Pangloss, va de débâcle en débâcle. Il finira par trouver la paix en « cultivant son jardin ».*

Candide, dans le fond de son cœur, n'avait aucune envie d'épouser Cunégonde. Mais l'impertinence extrême du baron le déterminait à conclure le mariage, et Cunégonde le pressait si vivement qu'il ne pouvait s'en dédire. Il consulta Pangloss, Martin et le fidèle Cacambo [1]. Pangloss fit un beau mémoire par lequel il prouvait que le baron n'avait nul droit sur sa sœur, et qu'elle pouvait, selon toutes les lois de l'Empire, épouser Candide de la main gauche. Martin conclut à jeter le baron dans la mer. Cacambo décida qu'il fallait le rendre au levanti* patron et le remettre aux galères ; après quoi on l'enverrait à Rome au père général par le premier vaisseau. L'avis fut trouvé fort bon ; la vieille l'approuva ; on n'en dit rien à sa sœur ; la chose fut exécutée pour quelque argent, et on eut le plaisir d'attraper un jésuite et de punir l'orgueil d'un baron allemand.

1. Personnages de la fable, Pangloss symbolise l'éternel optimiste, Martin le pessimiste excessif. Cacambo est le serviteur de Candide.

Il était tout naturel d'imaginer qu'après tant de désastres, Candide, marié avec sa maîtresse et vivant avec le philosophe Pangloss, le philosophe Martin, le prudent Cacambo et la vieille, ayant d'ailleurs rapporté tant de diamants de la patrie des anciens Incas, mènerait la vie du monde la plus agréable ; mais il fut tant friponné par les Juifs qu'il ne lui resta plus rien que sa petite métairie ; sa femme, devenant tous les jours plus laide, devint acariâtre et insupportable ; la vieille était infirme et fut encore de plus mauvaise humeur que Cunégonde. Cacambo, qui travaillait au jardin, et qui allait vendre des légumes à Constantinople, était excédé de travail et maudissait sa destinée. Pangloss était au désespoir de ne pas briller dans quelque université d'Allemagne. Pour Martin, il était fermement persuadé qu'on est également mal partout ; il prenait les choses en patience. Candide, Martin et Pangloss disputaient quelquefois de métaphysique et de morale. On voyait souvent passer sous les fenêtres de la métairie des bateaux chargés d'effendis, de bachas, de cadis, qu'on envoyait en exil à Lemnos, à Mitylène, à Erzeroum. On voyait venir d'autres cadis, d'autres bachas, d'autres effendis, qui prenaient la place des expulsés et qui étaient expulsés à leur tour. On voyait des têtes proprement empaillées qu'on allait présenter à la Sublime Porte. Ces spectacles faisaient redoubler les dissertations ; et quand on ne disputait pas, l'ennui était si excessif que la vieille osa un jour leur dire : « Je voudrais savoir lequel est le pire, ou d'être violée cent fois par des pirates nègres, d'avoir une fesse coupée, de passer par les baguettes chez les Bulgares, d'être fouetté et pendu dans un auto-da-fé, d'être disséqué, de ramer en galère, d'éprouver enfin toutes les misères par lesquelles nous avons tous passé, ou bien de rester ici à ne rien faire ? – C'est une grande question », dit Candide.

Ce discours fit naître de nouvelles réflexions, et Martin surtout conclut que l'homme était né pour vivre dans les convulsions de l'inquiétude, ou dans la léthargie de l'ennui. Candide n'en convenait pas, mais il n'assurait rien. Pangloss avouait qu'il avait toujours horriblement souffert ; mais ayant soutenu une fois que tout allait à merveille, il le soutenait toujours, et n'en croyait rien.

Une chose acheva de confirmer Martin dans ses détestables principes, de faire hésiter plus que jamais Candide, et d'embarrasser Pangloss. C'est qu'ils virent un jour aborder dans leur métairie Paquette et le frère Giroflée, qui étaient dans la plus extrême misère ; ils avaient bien vite mangé leurs trois mille piastres, s'étaient quittés, s'étaient raccommodés, s'étaient brouillés, avaient été mis en prison, s'étaient enfuis, et enfin frère Giroflée s'était fait turc. Paquette continuait son métier partout, et n'y gagnait plus rien. « Je l'avais bien prévu, dit Martin à Candide, que vos présents seraient bientôt dissipés et ne les rendraient que plus misérables. Vous avez regorgé de millions de piastres, vous et Cacambo, et vous n'êtes pas plus heureux que frère Giroflée et Paquette. — Ah, ah ! dit Pangloss à Paquette, le ciel vous ramène donc ici parmi nous, ma pauvre enfant ! Savez-vous bien que vous m'avez coûté le bout du nez, un œil et une oreille ? Comme vous voilà faite ! Et qu'est-ce que ce monde ! » Cette nouvelle aventure les engagea à philosopher plus que jamais.

Il y avait dans le voisinage un derviche* très fameux, qui passait pour le meilleur philosophe de la Turquie ; ils allèrent le consulter ; Pangloss porta la parole, et lui dit : « Maître, nous venons vous prier de nous dire pourquoi un aussi étrange animal que l'homme a été formé. — De quoi te mêles-tu ? dit le derviche, est-ce là ton affaire ? — Mais, mon Révérend Père, dit Candide, il y a horriblement de mal sur la terre. — Qu'importe, dit le derviche, qu'il y ait du mal ou du bien ? Quand Sa Hautesse envoie un vaisseau en Égypte, s'embarrasse-t-elle si les souris qui sont dans le vaisseau sont à leur aise ou non ? — Que faut-il donc faire ? dit Pangloss. — Te taire, dit le derviche. — Je me flattais, dit Pangloss, de raisonner un peu avec vous des effets et des causes, du meilleur des mondes possibles, de l'origine du mal, de la nature de l'âme et de l'harmonie préétablie. » Le derviche, à ces mots, leur ferma la porte au nez.

Pendant cette conversation, la nouvelle s'était répandue qu'on venait d'étrangler à Constantinople deux vizirs* du banc et le muphti*, et qu'on avait empalé plusieurs de leurs amis. Cette catastrophe faisait partout un grand bruit pendant quelques heures. Pangloss, Candide et Martin, en retournant à la petite métairie, rencontrèrent un bon vieillard qui prenait le frais à sa porte sous un berceau d'orangers. Pangloss, qui était aussi curieux que raisonneur, lui demanda comment se nommait le muphti qu'on venait d'étrangler. « Je n'en sais rien, répondit le bonhomme, et je n'ai jamais su le nom d'aucun muphti ni d'aucun vizir. J'ignore absolument l'aventure dont vous me parlez ; je présume qu'en général ceux qui se mêlent des affaires publiques périssent quelquefois misérablement, et qu'ils le méritent ; mais je ne m'informe jamais de ce qu'on fait à Constantinople ; je me contente d'y envoyer vendre les fruits du jardin que je cultive. » Ayant dit ces mots, il fit entrer les étrangers dans sa maison : ses deux filles et ses deux fils leur présentèrent plusieurs sortes de sorbets qu'ils faisaient eux-mêmes, du kaïmac* piqué d'écorces de cédrat confit, des oranges, des citrons, des limons, des ananas, des pistaches, du café de Moka* qui n'était point mêlé avec le mauvais café de Batavia* et des îles. Après quoi les deux filles de ce bon musulman parfumèrent les barbes de Candide, de Pangloss et de Martin.

« Vous devez avoir, dit Candide au Turc, une vaste et magnifique terre ? — Je n'ai que vingt arpents, répondit le Turc ; je les cultive avec mes enfants ; le travail éloigne de nous trois grands maux : l'ennui, le vice, et le besoin. »

Candide, en retournant dans sa métairie, fit de profondes réflexions sur le discours du Turc. Il dit à Pangloss et à Martin : « Ce bon vieillard me paraît s'être fait un sort bien préférable à celui des six rois[1] avec qui nous avons eu l'honneur de souper. — Les grandeurs, dit Pangloss, sont fort dangereuses, selon le rapport de tous les philosophes : car enfin Églon, roi des Moabites, fut assassiné par Aod ; Absalon fut pendu par les cheveux et percé de trois dards[2] ; le roi Nadab, fils de Jéroboam, fut tué par Baaza ; le roi Éla, par Zambri ; Ochosias, par Jéhu ; Athalia, par Joïada ; les rois Joachim, Jéchonias, Sédécias, furent esclaves. Vous savez comment périrent Crésus, Astyage, Darius, Denys de Syracuse, Pyrrhus, Persée, Annibal, Jugurtha, Arioviste, César, Pompée, Néron, Othon, Vitellius, Domitien, Richard II d'Angleterre, Édouard II, Henri VI, Richard III, Marie Stuart, Charles Ier, les trois Henri de France, l'empereur Henri IV[3] ? Vous savez... — Je sais aussi, dit Candide, qu'il faut cultiver notre jardin. — Vous avez raison, dit Pangloss : car, quand l'homme fut mis dans le jardin d'Éden, il y fut mis *ut operaretur eum*, pour qu'il travaillât, ce qui prouve que l'homme n'est pas né pour le repos. — Travaillons sans raisonner, dit Martin ; c'est le seul moyen de rendre la vie supportable. »

Toute la petite société entra dans ce louable dessein ; chacun se mit à exercer ses talents. La petite terre rapporta beaucoup. Cunégonde était à la vérité bien laide ; mais elle devint une excellente pâtissière ; Paquette broda ; la vieille eut soin du linge. Il n'y eut pas jusqu'à frère Giroflée qui ne rendît service ; il fut un très bon menuisier, et même devint honnête homme ; et Pangloss disait quelquefois à Candide : « Tous les événements sont enchaînés dans le meilleur des mondes possibles ; car enfin, si vous n'aviez pas été chassé d'un beau château à grands coups de pied dans le derrière pour l'amour de Mlle Cunégonde, si vous n'aviez pas été mis à l'Inquisition, si vous n'aviez pas couru l'Amérique

1. Référence aux rois détrônés que Candide a rencontrés au cours du Carnaval.
2. Rois de l'Ancien Testament, morts assassinés.
3. Rois morts assassinés.

à pied, si vous n'aviez pas donné un bon coup d'épée au baron, si vous n'aviez pas perdu tous vos moutons du bon pays d'Eldorado, vous ne mangeriez pas ici des cédrats* confits et des pistaches. — Cela est bien dit, répondit Candide, mais il faut cultiver notre jardin. »

Extrait de *Candide ou l'Optimisme* (1759)

Claude Adrien Helvétius

(1715-1771)

Claude Adrien Helvétius consacre sa vie à la réflexion et à la bienfaisance. Son premier livre, De l'Esprit *(1758), est condamné au feu pour athéisme. Il écrit* De l'Homme *(1773, posthume), sans plus chercher à publier ses travaux. Comme Épicure, il pense que tout est matière. Mais les conclusions qu'il tire ici sont fort différentes. Au lieu de l'ataraxie, il affirme que « plaisir et douleur sont et seront toujours l'unique principe des actions de l'homme ».*

QUE LES PLAISIRS DES SENS SONT À L'INSU MÊME DES NATIONS LEURS PLUS PUISSANTS MOTEURS.

Les moteurs de l'homme sont le plaisir et la douleur physique. Pourquoi la faim est-elle le principe le plus habituel de son activité ? C'est qu'entre tous les besoins, ce dernier est celui qui se renouvelle le plus souvent et qui commande le plus impérieusement. C'est la faim et la difficulté de pourvoir à ce besoin, qui, dans les forêts donne aux animaux carnassiers tant de supériorité d'esprit sur l'animal pâturant. C'est la faim qui fournit aux premiers cent moyens ingénieux d'attaquer, de surprendre le gibier : c'est la faim qui retenant six mois entiers le sauvage sur les lacs et dans les bois, lui apprend à courber son arc, à tresser ses filets, à tendre des pièges à sa proie. C'est encore la faim qui chez les peuples policés, met tous les citoyens en action, leur fait cultiver la terre ; apprendre un métier et remplir une charge. Mais dans les fonctions de cette charge, chacun oublie le motif qui la lui fait exercer ; c'est que notre esprit s'occupe, non du besoin, mais des moyens de le satisfaire. Le difficile n'est pas de manger, mais d'apprêter le repas. Plaisir et douleur sont et seront toujours l'unique principe des actions de l'homme. Si le ciel eût pourvu à tous ses besoins ; si la nourriture convenable à son corps eût été comme l'air et l'eau un élément de la nature, l'homme eût à jamais croupi dans la paresse. La faim, par conséquent la douleur est le principe d'activité du pauvre, c'est-à-dire, du plus grand nombre ; et le plaisir est le principe d'activité de l'homme au-dessus de l'indigence, c'est-à-dire, du riche. Or entre tous les plaisirs, celui qui sans contredit agit le plus fortement sur nous et communique à notre âme le plus d'énergie, est le plaisir des femmes. La nature en attachant la plus grande ivresse à leur jouissance, a voulu en faire un des plus puissants principes de notre activité. Nulle passion n'opère de plus grand changement dans l'homme. Son empire s'étend jusque sur les brutes. L'animal timide et tremblant à l'approche de l'animal même le plus faible, est enhardi par l'amour. À l'ordre de l'amour, l'animal s'arrête, dépouille toute crainte, attaque et combat des animaux ses égaux ou même ses supérieurs en force. Point de dangers, point de travaux dont l'amour s'étonne. Il est la source de la vie. À mesure que ses désirs s'éteignent, l'homme perd son activité ; et par degrés la mort s'empare de lui. Plaisir et douleur physique, voilà les seuls et vrais ressorts de tout gouvernement. On n'aime point proprement la gloire, les richesses et les honneurs, mais les plaisirs seuls dont cette gloire, ces richesses et ces honneurs sont représentatifs. Et quoi qu'on dise, tant qu'on donnera pour boire à l'ouvrier pour l'exciter au travail, il faudra convenir du pouvoir qu'ont sur nous les plaisirs des sens.

Lorsque j'ai dit dans le livre de *L'Esprit* que c'était sur la tige de la douleur et du plaisir physique que se recueillaient toutes nos peines et nos plaisirs, j'ai révélé une grande vérité. Que s'ensuit-il ? Que ce n'est point dans la jouissance de ces mêmes plaisirs que peut consister la dépravation politique des mœurs. Qu'est-ce en effet qu'un peuple efféminé et corrompu ? Celui qui s'approprie par des moyens vicieux les mêmes plaisirs que les nations illustres acquièrent par des moyens vertueux. Les déclamations de quelques moralistes ne prouveront jamais rien contre un auteur, dont l'expérience justifie et confirme les principes. Qu'on ne regarde pas cette discussion sur la sensibilité physique comme étrangère à mon sujet. Que me suis-je proposé ? De faire voir que tous les hommes communément bien organisés, ont une égale aptitude à l'esprit. Qu'ai-je fait pour y parvenir ? J'ai distingué l'esprit de l'âme. J'ai prouvé que l'âme n'est en nous que la faculté de sentir ; que l'esprit en est l'effet ; que dans l'homme tout est sensation : que la sensibilité physique est par conséquent le principe de ses besoins, de ses passions, de sa sociabilité, de ses idées, de ses jugements, de ses volontés, de ses actions, et qu'enfin si tout est explicable par la sensibilité physique, il est inutile d'admettre en nous d'autres facultés. L'homme est une machine qui mise en mouvement par la sensibilité physique doit faire tout ce qu'elle exécute. C'est la roue qui, mue par un torrent, élève les pistons et après eux les eaux destinées à se dégorger dans les bassins préparés à la recevoir. Après avoir ainsi montré qu'en nous tout se réduit à sentir, à se ressouvenir, et qu'on ne sent, que par les cinq sens ; pour découvrir ensuite si le plus ou moins grand esprit est l'effet de la plus ou moins grande perfection des organes, il s'agit d'examiner si dans le fait, la supériorité de l'esprit est toujours proportionnée à la finesse des sens et à l'étendue de la mémoire. Si l'expérience prouvait le contraire, nul doute que la constante inégalité des esprits ne dépendît d'une autre cause.

De l'Homme, II, 10, (1773, posthume)

XIXe siècle : l'échec du *carpe diem*

Les passions font partie intégrante de l'individu – l'idée est désormais acquise. Les écrivains du XIXe siècle se penchent alors sur eux-mêmes et sur leur mal-être, que l'on nomme « le mal du siècle ». Plus question de « cueillir le jour », ni de « profiter de l'instant », puisque la nouvelle génération a hérité d'un « monde en ruines ». Tel est, en effet, le sentiment qui caractérise les jeunes auteurs : l'impression que leurs parents leur ont laissé un monde détruit, où règne le malheur en maître. *La Confession d'un enfant du siècle* (1836) d'Alfred de Musset exprime le désespoir de toute une génération :

« Alors s'assit sur un monde en ruines une jeunesse soucieuse. Tous ces enfants étaient des gouttes d'un sang qui avait inondé la terre ; ils étaient nés au sein de la guerre, pour la guerre. [...] Ils avaient dans la tête tout un monde ; ils regardaient la terre, le ciel, les rues et les chemins ; tout cela était vide, et les cloches de leurs paroisses résonnaient seules dans le lointain. »

La mélancolie devient une figure centrale de la pensée romantique. Dès lors, le *carpe diem*, s'il apparaît çà et là dans les œuvres, fait l'objet d'un traitement négatif. Il n'est plus un appel à jouir, mais une impossibilité, un regret de n'avoir pas su jouir de l'instant, qui a fui irrémédiablement.

ALPHONSE DE LAMARTINE

(1790-1869)

Alphonse de Lamartine est un des chantres de l'âge romantique. Durant cette période où l'on expose le mal-être de l'individu, le carpe diem *change de sens. Dans* Le Lac, *le poète appelle en effet à jouir de la vie mais, pour lui, il est déjà trop tard : la femme aimée est morte. L'invitation posthume à profiter du temps présent est bien nostalgique !*

LE LAC

Ainsi, toujours poussés vers de nouveaux rivages
Dans la nuit éternelle emportés sans retour,
Ne pourrons-nous jamais sur l'océan des âges
Jeter l'ancre un seul jour ?

Ô lac ! l'année à peine a fini sa carrière,
Et près des flots chéris qu'elle devait revoir,
Regarde ! je viens seul m'asseoir sur cette pierre
Où tu la vis s'asseoir !

Tu mugissais ainsi sous ces roches profondes,
Ainsi tu te brisais sur leurs flancs déchirés,
Ainsi le vent jetait l'écume de tes ondes
Sur ses pieds adorés.

Un soir, t'en souvient-il ? nous voguions en silence ;
On n'entendait au loin, sur l'onde et sous les cieux,
Que le bruit des rameurs qui frappaient en cadence
Tes flots harmonieux.

Tout à coup des accents inconnus à la terre
Du rivage charmé frappèrent les échos
Le flot fut attentif, et la voix qui m'est chère
Laissa tomber ces mots :

« Ô temps ! suspends ton vol, et vous, heures propices !
Suspendez votre cours :
Laissez-nous savourer les rapides délices
Des plus beaux de nos jours !

« Assez de malheureux ici-bas vous implorent,
Coulez, coulez pour eux ;
Prenez avec leurs jours les soins* qui les dévorent,
Oubliez les heureux.

« Mais je demande en vain quelques moments encore,
Le temps m'échappe et fuit ;
Je dis à cette nuit : Sois plus lente ; et l'aurore
Va dissiper la nuit.

« Aimons donc, aimons donc ! de l'heure fugitive,
Hâtons-nous, jouissons !
L'homme n'a point de port, le temps n'a point de rive ;
Il coule, et nous passons ! »

Temps jaloux, se peut-il que ces moments d'ivresse,
Où l'amour à longs flots nous verse le bonheur,
S'envolent loin de nous de la même vitesse
Que les jours de malheur ?

Eh quoi ! n'en pourrons-nous fixer au moins la trace ?
Quoi ! passés pour jamais ! quoi ! tout entiers perdus !
Ce temps qui les donna, ce temps qui les efface,
Ne nous les rendra plus !

Éternité, néant, passé, sombres abîmes,
Que faites-vous des jours que vous engloutissez ?
Parlez : nous rendrez-vous ces extases sublimes
Que vous nous ravissez ?

Ô lac ! rochers muets ! grottes ! forêt obscure !
Vous, que le temps épargne ou qu'il peut rajeunir,
Gardez de cette nuit, gardez, belle nature,
Au moins le souvenir !

Qu'il soit dans ton repos, qu'il soit dans tes orages,
Beau lac, et dans l'aspect de tes riants coteaux,
Et dans ces noirs sapins, et dans ces rocs sauvages
Qui pendent sur tes eaux.

Qu'il soit dans le zéphyr qui frémit et qui passe,
Dans les bruits de tes bords par tes bords répétés,
Dans l'astre au front d'argent qui blanchit ta surface
De ses molles clartés.

Que le vent qui gémit, le roseau qui soupire,
Que les parfums légers de ton air embaumé,
Que tout ce qu'on entend, l'on voit ou l'on respire,
Tout dise : Ils ont aimé !

Méditations poétiques (1820)

L'AUTOMNE

Salut, bois couronnés d'un reste de verdure !
Feuillages jaunissants sur les gazons épars !
Salut, derniers beaux jours ! le deuil de la nature
Convient à la douleur et plaît à mes regards !

Je suis d'un pas rêveur le sentier solitaire,
J'aime à revoir encor, pour la dernière fois,
Ce soleil pâlissant, dont la faible lumière
Perce à peine à mes pieds l'obscurité des bois !

Oui, dans ces jours d'automne où la nature expire,
À ses regards voilés, je trouve plus d'attraits,
C'est l'adieu d'un ami, c'est le dernier sourire
Des lèvres que la mort va fermer pour jamais !

Ainsi, prêt à quitter l'horizon de la vie,
Pleurant de mes longs jours l'espoir évanoui,
Je me retourne encore, et d'un regard d'envie
Je contemple ses biens dont je n'ai pas joui !

Terre, soleil, vallons, belle et douce nature,
Je vous dois une larme aux bords de mon tombeau ;
L'air est si parfumé ! la lumière est si pure !
Aux regards d'un mourant le soleil est si beau !

Je voudrais maintenant vider jusqu'à la lie
Ce calice mêlé de nectar et de fiel !

Au fond de cette coupe où je buvais la vie,
Peut-être restait-il une goutte de miel ?

Peut-être l'avenir me gardait-il encore
Un retour de bonheur dont l'espoir est perdu ?
Peut-être dans la foule, une âme que j'ignore
Aurait compris mon âme, et m'aurait répondu ?...

La fleur tombe en livrant ses parfums au zéphire ;
À la vie, au soleil, ce sont là ses adieux ;
Moi, je meurs ; et mon âme, au moment qu'elle expire,
S'exhale comme un son triste et mélodieux.

Méditations poétiques (1820), XXIII

Alfred de Musset

(1810-1857)

Alfred de Musset chante le « mal du siècle », celui d'une jeunesse désenchantée qui estime avoir reçu en héritage un monde en ruines. Contrairement à l'ataraxie d'Épicure, son poème exprime le caractère intarissable et douloureux du désir.*

J'ai dit à mon cœur, à mon faible cœur :
N'est-ce point assez d'aimer sa maîtresse ?
Et ne vois-tu pas que changer sans cesse,
C'est perdre en désirs le temps du bonheur ?
Il m'a répondu : Ce n'est point assez,
Ce n'est point assez d'aimer sa maîtresse ;
Et ne vois-tu pas que changer sans cesse
Nous rend doux et chers les plaisirs passés ?

J'ai dit à mon cœur, à mon faible cœur :
N'est-ce point assez de tant de tristesse ?
Et ne vois-tu pas que changer sans cesse,
C'est à chaque pas trouver la douleur ?

Il m'a répondu : Ce n'est point assez
Ce n'est point assez de tant de tristesse ;
Et ne vois-tu pas que changer sans cesse
Nous rend doux et chers les chagrins passés ?

Poésies (1830-1840)

CHARLES BAUDELAIRE

(1821-1867)

Poète génial et provocant, Charles Baudelaire joue avec le thème ronsardien de la beauté fugace de la femme. Mais au lieu de la comparer à une rose, qui fane en une journée, il lui montre sur le bord de la route... la charogne pourrissante à laquelle, dans la tombe, elle ressemblera bientôt !

UNE CHAROGNE

Rappelez-vous l'objet que nous vîmes, mon âme,
Ce beau matin d'été si doux :
Au détour d'un sentier une charogne infâme
Sur un lit semé de cailloux,

Les jambes en l'air, comme une femme lubrique,
Brûlante et suant les poisons,
Ouvrait d'une façon nonchalante et cynique
Son ventre plein d'exhalaisons.

Le soleil rayonnait sur cette pourriture,
Comme afin de la cuire à point,
Et de rendre au centuple à la grande nature
Tout ce qu'ensemble elle avait joint ;

Et le ciel regardait la carcasse superbe
Comme une fleur s'épanouir.
La puanteur était si forte, que sur l'herbe
Vous crûtes vous évanouir.

Les mouches bourdonnaient sur ce ventre putride,
D'où sortaient de noirs bataillons
De larves, qui coulaient comme un épais liquide
Le long de ces vivants haillons.

Tout cela descendait, montait comme une vague,
Ou s'élançait en pétillant ;
On eût dit que le corps, enflé d'un souffle vague,
Vivait en se multipliant.

Et ce monde rendait une étrange musique,
Comme l'eau courante et le vent,
Ou le grain qu'un vanneur d'un mouvement rythmique
Agite et tourne dans son van.

Les formes s'effaçaient et n'étaient plus qu'un rêve,
Une ébauche lente à venir,
Sur la toile oubliée, et que l'artiste achève
Seulement par le souvenir.

Derrière les rochers une chienne inquiète
Nous regardait d'un œil fâché,
Épiant le moment de reprendre au squelette
Le morceau qu'elle avait lâché.

Et pourtant vous serez semblable à cette ordure,
A cette horrible infection,
Étoile de mes yeux, soleil de ma nature,
Vous, mon ange et ma passion !

Oui ! telle vous serez, ô reine des grâces,
Après les derniers sacrements,
Quand vous irez, sous l'herbe et les floraisons grasses,
Moisir parmi les ossements.

Alors, ô ma beauté ! dites à la vermine
Qui vous mangera de baisers,
Que j'ai gardé la forme et l'essence divine
De mes amours décomposés !

Fleurs du Mal (1857), XXVII

REMORDS POSTHUME

Lorsque tu dormiras, ma belle ténébreuse,
Au fond d'un monument construit en marbre noir,
Et lorsque tu n'auras pour alcôve et manoir
Qu'un caveau pluvieux et qu'une fosse creuse ;

Quand la pierre, opprimant ta poitrine peureuse
Et tes flancs qu'assouplit un charmant nonchaloir*,
Empêchera ton cœur de battre et de vouloir,
Et tes pieds de courir leur course aventureuse,

Le tombeau, confident de mon rêve infini
(Car le tombeau toujours comprendra le poète),
Durant ces grandes nuits d'où le somme est banni,

Te dira : « Que vous sert, courtisane imparfaite,
De n'avoir pas connu ce que pleurent les morts ? »
— Et le ver rongera ta peau comme un remords.

Les Fleurs du Mal, « Spleen et Idéal », (1857)

Lexique

Accomparer : comparer à.
Achée : lombric.
Adolorer (s') : souffrir.
Aguet : approche, proximité.
Ains : ainsi.
Amie (m') : ma mie, mon amie.
Amour (faire l') : courtiser.
Arder : brûler.
Arondelle : hirondelle.
Ataraxie : tranquillité de l'esprit, due à une absence de troubles.
Avette : abeille.
Aviser : apercevoir.

Baller : danser.
Battre à froid : battre [le fer] quand il est froid, c'est-à-dire « faire les choses quand il est trop tard ».
Battre le chien devant le lion : punir un domestique pour mettre indirectement en garde un homme plus puissant.
Besson : jumeau.
Bran : matière fécale.
Brune : nuit.

Carme : charme.
Cédrat : espèce de citron.
Chenu : vieux, âgé.
Clinamen : inclination déviant la trajectoire des atomes et permettant leur rencontre pour former des corps.
Coint : gracieux.

Col : cou.
Colombelle : pigeon femelle, d'où aussi jeune fille.
Compter sans son hôte : ne pas attendre que son hôte fasse l'addition.
Convoiteux : envieux.
Coural : corail.
Cracher dans la sébile : au sens figuré, « donner de l'argent à contrecœur », être avare.

Dard : arme pointue, harpon.
Darder : lancer (une arme), frapper ; se dit aussi du soleil qui « darde ses rayons ».
Décevoir : tromper.
Déclore : refermer.
Dégoiser : chanter.
Dégoutter : s'égoutter, répandre des gouttes.
Dépâmer : se réveiller de son évanouissement.
Derviche : religieux musulman.
Desur : sur, dessus.
Devant que : avant que.
Dire la patenôtre du singe : prononcer des paroles incompréhensibles, marmonner.
Dodonéen : surnom que l'on donnait à Zeus, tout-puissant.

Échon : écho.
Écorcher le renard : vomir après avoir trop bu.
Élysien : du Paradis.
Émerillon : oiseau de proie.
Empenné : emplumé, ailé.
Ès : dans les.
Escarlatin : tissu écarlate, de couleur rouge.
Éther : le ciel ; éthéré, -e : céleste.

Faire le sucré : affecter la gentillesse.
Fanir : faner.
Flageol : sorte de flûte.
Fleuronner : être en fleur.
Fol : fou.

Gagner au pied : céder du terrain à l'ennemi.
Garder : prendre garde.

Gertière : jarretière.
Giron : poitrine.
Gravelle : sable, gravier.
Grison : homme aux cheveux gris, d'où « vieillard ».

Haquenée : cheval de taille moyenne, que montaient les dames jadis.
Harsoir : hier soir.
Hédonisme : doctrine philosophique selon laquelle le plaisir est la finalité suprême de l'existence.
Heur : bonheur.

Jà : déjà.
Jargonner : parler.

Kaïmac : sorte de sorbet turc.

Lanier : espèce de faucon.
Larron : voleur.
Las : hélas.
Léger-volant : volant avec légèreté.
Levanti : Levantin, originaire du Levant.
Ludique : qui a trait au jeu.

Maîtresse : au XVIe siècle, la maîtresse désigne la « dame », la femme que l'on aime, le plus souvent d'un amour chaste.
Marcher (le) : marche (la).
Merci (prendre à) : prendre pitié de.
Mettre en cervelle : inquiéter.
Mignard : charmant.
Moka : ville d'Arabie.
Morion : casque.
Muphti : juge suprême musulman.
Musette : cornemuse.
Myrteux : couvert de myrte, arbre symbole de Vénus.

Nef : navire.
Néo-platonisme : courant philosophique inspiré du *Banquet* de Platon, selon lequel la finalité de l'amour réside dans l'union des âmes, non des corps. Ce courant a donné lieu à l'adjectif « platonique », caractérisant un amour sans relation charnelle.

Neufard : nénuphar.
Nonchaloir : insouciance.
Nonobstant : malgré, pourtant.

Oblivieux : oublieux.
Ouïr : entendre.

Palefroi : cheval de femme.
Pâmer (se) : s'évanouir.
Pasteur ou pastoureau, pastourelle : berger, bergère.
Pelisson : vêtement de fourrure en usage du XIIe au XVe siècle.
Phoebus : le soleil.
Pillard : voleur.
Pipé : trompé.
Pisser contre le soleil : au sens figuré, outrager des protecteurs puissants.
Poirée : espèce de bette, plante potagère.
Poliot : plante aromatique.

Ramée : branchage, abri de branches.
Rhétorique : art du discours, visant à la persuasion.
Rebattre : répéter.

Sas : crible.
Semblance : apparence.
Sembler : ressembler.
Sillé : qui coupe, qui tranche.
Soin : douleur.
Sourdre : surgir.
Stoïcisme : doctrine souvent opposée à l'épicurisme, qui prône de supporter les maux avec fermeté.

Tétin : poitrine.
Tort, torte : tordu(e).
Trac : chemin.
Trait : flèche.
Travail : douleur, souffrance.

Usufruit : jouissance d'un bien durant sa vie.

Vêprée : soir, soirée.
Veuil : volonté, désir.
Vizir du banc : ministre du Conseil du sultan.

Bibliographie

ARMSTRONG Elizabeth, *Ronsard and the Age of Gold*, Cambridge University Press, 1968.

BRUN J., *L'épicurisme*, « Que sais-je ? », Paris, PUF, 2002.

BOLLACK J., & LACKS A. éd., *Études sur l'épicurisme antique*, Univ. de Lille-III, 1977.

BOYANCÉ P., *Lucrèce et l'épicurisme*, Paris, PUF, 1963.

DASSONVILLE Michel, *Ronsard. Étude historique et littéraire*, Droz, Genève, 1985.

DEMERSON Guy, *La Mythologie classique dans l'œuvre lyrique de la Pléiade*, Genève, Droz, 1972.

FESTUGIERE A. J., *Épicure et ses dieux*, Paris, PUF, 1946, rééd. 1968, 1985.

GENDRE André, *L'Esthétique de Ronsard*, Paris, SEDES, 1997.

GUYAU, J.-M., *La Morale d'Épicure et ses rapports avec les doctrines contemporaines*, Paris, Alcan, 1878, rééd.

MÉNAGER Daniel, *Ronsard ; le roi, le poète et les hommes*, Genève, Droz, 1979.

NIZAN Paul, *Les Matérialistes de l'Antiquité*, Paris, Maspero, 1979.

QUAINTON Michael, *Ronsard's Ordered Chaos. Vision of Flux and Stability in the poetry of Pierre de Ronsard*, Manchester University Press, 1980.

RAYMOND Marcel, *La Poésie française et le maniérisme*, Droz, 1971.

ROCHOT, *Les Travaux de Gassendi sur Épicure et sur l'atomisme*, Paris, Vrin, 1944.

RODIS-LEWIS G., *Épicure et son école*, Paris, Gallimard, 1976, rééd. « Folio », Gallimard, 1995.

SILVER Isidore, *Ronsard and the Hellenic Renaissance in France*, Genève, Droz, 1981.

SILVER Isidore, *Ronsard's philosophic thought*, Genève, Droz, 1992.

SIMONIN Michel, *Pierre de Ronsard*, Paris, Fayard,1990.

TAYLER Edward, *Nature and Art in Renaissance Literature,* New York : Columbia University Press, 1964.

WEBER Henri, *La Création poétique au XVIe siècle en France, de Maurice Scève à Agrippa d'Aubigné*, Paris, Nizet, 1956.

882

Composition PCA
Achevé d'imprimer en Italie par Grafica Veneta
en septembre 2019 pour le compte de E.J.L.
87, quai Panhard-et-Levassor, 75013 Paris
1er dépôt légal dans la collection : mai 2006
EAN 9782290354827

Diffusion France et étranger : Flammarion